LE
FAIT ANGLAIS
AU QUÉBEC

Dominique Clift
Sheila McLeod Arnopoulos

LE
FAIT ANGLAIS
AU QUÉBEC

Libre Expression

Photo de la couverture:
Patrice Puiberneau

Maquette de la couverture:
France Lafond

©Copyright: Éditions Libre Expression, 1979

Dépôt légal:
4ᵉ trimestre 1979

ISBN 2-89111-020-X

Avant-propos

La préparation et la rédaction de cet ouvrage ont été réalisées avec le concours de plusieurs personnes auxquelles nous voulons témoigner notre reconnaissance.

Le professeur Hubert Guindon de l'Université Concordia, le professeur Raymond Breton de l'Université de Toronto, le professeur James Taylor de l'Université de Montréal ainsi que Elizabeth Van Every-Taylor nous ont aidés à cerner le sujet que nous voulions traiter.

Noël Pérusse, Sheila Fischman et Margot Gibb-Clark, grâce à leurs conseils et à leurs critiques, ont contribué à l'exécution de notre projet.

Cependant, selon la phrase consacrée, les vues exprimées dans cet ouvrage n'engagent que la responsabilité des auteurs.

Table des matières

   La tendance de la société française à recourir à l'isolement comme moyen de défense culturel se retrouve dans le régime seigneurial, symbole du rejet de la culture commerciale anglaise du début du XIXe siècle.

   Le type de capitalisme pratiqué au Canada au début du XIXe siècle était semblable à celui contre lequel s'étaient révoltées les colonies américaines en 1776.

   La communauté anglaise ne reconnaît que les droits individuels, qui supposent une société canadienne anglaise et homogène, tandis que la communauté française lui oppose les droits collectifs afin d'affirmer son contrôle exclusif sur le territoire québécois.

   Quoiqu'elle ait toujours été un objet de conflit, la langue passa au premier plan des préoccupations politiques après que la *Foi* et la *Race* furent disparues comme points de ralliement, c'est-à-dire après 1960.

Épilogue
La Loi 101: un cheval de Troie 235

Les minorités ethniques commencent à défendre leurs
valeurs propres contre la majorité française qui les a
intégrées de force et qui n'a jamais fait l'expérience de
la diversité et du pluralisme.

Au fond, toutes les grandes civilisations sont des civilisations de carrefour qui ont su marier en elles des influences d'origines diverses. Si cette diversité devait disparaître dans un monde qui deviendrait homogène, uniforme, on pourrait craindre que l'humanité entre dans une période qui n'aurait plus guère de rapport avec tout ce à quoi nous sommes traditionnellement attachés.

Claude Lévi-Strauss

Introduction

Anglais et Français au Québec sont étroitement liés par deux cents ans d'histoire au cours de laquelle les guerres sourdes ont alterné avec les ententes plus ou moins cordiales. Il y eut une interaction constante entre les deux peuples qui a profondément marqué leurs sociétés et leurs comportements respectifs. C'est cette interaction qui fait l'objet du présent ouvrage.

Le Québécois de langue française ne saurait vraiment comprendre sa culture sans une connaissance de celle des Québécois de langue anglaise. Le *fait anglais* est un élément essentiel de l'identité collective française comme l'est le *fait français* pour la population anglaise.

Si ces constatations semblent évidentes, il n'en demeure pas moins que la majeure partie de l'activité politique aujourd'hui vise à les nier. Même des historiens ne résistent pas à la tentation de voir les Anglais comme des intrus au Québec, ou les Français du Québec comme une petite collectivité marginale ayant survécu miraculeusement à l'effondrement de l'Empire français au XVIIIe siècle. Les *nous* collectifs se veulent exclusifs et ils rejettent tout apport venant de l'extérieur. Les deux principales communautés linguistiques du Québec mènent des existences séparées et isolées; elles ignorent presque tout l'une de l'autre. Or, on peut toujours récrire l'histoire, mais pas la géographie.

Le fleuve Saint-Laurent qui était une des principales voies d'accès vers l'intérieur du continent a longtemps dominé le destin des deux peuples. Montréal et Québec commandaient un vaste empire commercial fondé d'abord sur la traite des fourrures et ensuite sur l'exportation du blé et du bois. Ces avantages géographiques étaient amoindris par le climat rigoureux qui ne permettait guère le peuplement intensif. La colonie était donc économiquement fragile et militairement difficile à protéger, autant sous le régime français que sous le régime anglais.

Le caractère géographique du continent eut une influence prépondérante sur l'activité économique et sur l'organisation sociale de la colonie. Sa faiblesse ainsi que la nature du commerce auquel elle était astreinte contribuèrent à perpétuer toute une série de situations contre lesquelles la population avait à se débattre: une dépendance coloniale des marchés d'exportation et des sources de capitaux de la métropole, l'orientation des dépenses publiques vers les grands projets nationaux plutôt que vers les améliorations locales et l'inévitable collusion entre les intérêts commerciaux et le pouvoir politique. La construction, au XIXe siècle, de canaux et de chemins de fer orientés conformément à l'axe du Saint-Laurent servit à renforcer les traits dominants de la société canadienne qui, à ce moment, était dirigée par la communauté anglaise de Montréal.

Étant presque complètement absente du commerce, la population française se replia sur elle-même pour mieux résister aux pressions qu'exerçaient sur elle les valeurs économiques anglaises. Dans les conflits les plus vifs qui les opposèrent aux marchands anglais et aux gouverneurs britanniques au début du XIXe siècle, les élites politiques et intellectuelles françaises en vinrent à se dresser contre le capitalisme commercial et industriel. Ces élites s'y opposaient parce qu'il représentait à leurs yeux une source de disparités sociales et économiques, surtout à cause de la division du travail à laquelle il était indissolublement associé. La société française se voulait égalitaire, et cela depuis les débuts du régime français. Dans son esprit, égalitarisme et démocratie étaient des notions interchangeables.

Cette opposition entre l'économie anglaise et la société française, qui a contribué à la Rébellion de 1837-38, a persisté jusqu'à nos jours. Mais les relations entre Anglais et Français se sont lentement modifiées au XXe siècle alors que l'apparition de nouveaux centres industriels autour des Grands Lacs au Canada et aux États-Unis eut considérablement réduit l'importance économique du Saint-Laurent, dirigé ensuite le commerce canadien le long d'un nouvel axe nord-sud, et, enfin, provoqué le déclin de Montréal comme cœur de l'économie canadienne. Ni les uns ni les autres ne semblaient vouloir faire face à cette situation nouvelle dont les conséquences ont commencé à être perceptibles vers 1960.

Du côté anglais, on semble incapable d'accepter la participation française à la gestion d'une économie dont le caractère à Montréal est de plus en plus provincial. En même temps, la francisation de cette économie, résultant de tendances naturelles et d'intervention gouvernementale, avive les tensions historiques. Par contre, du côté français, on entrevoit la possibilité de créer au Québec une société entièrement française et qui reproduirait l'exclusivisme anglais dont on s'est tant plaint par le passé.

Le Québec traverse donc une période cruciale à l'issue de laquelle il faudra avoir pu se libérer du carcan des animosités séculaires. La société française doit pouvoir composer de manière positive avec la présence anglaise dont le caractère sera nécessairement très différent de ce qu'il fut par le passé, simplement parce que la composition et les objectifs de cette communauté auront été profondément modifiés par la francisation de l'économie.

La situation actuelle a de profondes racines historiques. Dès le XVIIIe siècle apparut l'idée que la culture et l'économie étaient deux entités irréconciliables. Les marchands anglais considéraient que la culture française, avec un régime de droit et de propriété qui favorisait la petite exploitation agricole, constituait une sérieuse entrave au commerce. De leur côté, les élites françaises rejetaient le capitalisme en faveur d'un régime où les distinctions de classes ne reposeraient pas sur l'argent mais sur la situation et sur l'instruction.

L'affrontement entre ces deux sociétés qui partageaient à peu près le même espace géographique donna lieu aux compromis inévitables pour éviter de sombrer dans le chaos. La notion la plus durable issue du début du XIXe siècle est celle des vocations collectives et des domaines réservés. Elle constituait un accommodement en vertu duquel le commerce et l'industrie étaient anglais tandis que la société du Bas-Canada était sous le contrôle politique de la majorité française. Du côté anglais on se croyait propriétaire de l'économie tout en admirant le style de vie de la population française. Par contre, le milieu français se considérait peu doué pour les affaires, et il valorisait les activités intellectuelles et tout ce qui pouvait renforcer l'identité nationale.

Le sentiment d'une opposition fondamentale entre économie et société ainsi que la croyance en des vocations collectives servirent à freiner les rivalités entre Anglais et Français et à assurer une certaine stabilité aux relations entre les deux groupes. Toutefois, les tensions se manifestaient au moment de transformations économiques. La Rébellion de 1837-38 coïncida avec le passage d'un capitalisme commercial à un capitalisme industriel. Aujourd'hui, la réorientation de l'économie canadienne dans des directions nord-sud ainsi que sa régionalisation de plus en plus marquée apportent des changements fondamentaux aux relations entre Anglais et Français au Québec.

Les deux communautés linguistiques du Québec se trouvent toutes deux forcées d'accepter un pluralisme dont elles n'ont jamais voulu dans le passé. Le déclin de Montréal comme centre de l'économie canadienne signifie que le rôle historique de gestionnaire assumé par la communauté anglaise de Montréal est maintenant terminé. La « provincialisation » de l'économie Québécoise entraîne inévitablement sa francisation. Elle contribue au renversement de la hiérarchie ethnique dont le trait principal était l'ascendant de la communauté anglaise sur tous les autres groupes ethniques et elle présage la fin de la marginalisation plus ou moins volontaire de la communauté française. La communauté anglaise doit donc faire face à la nécessité d'un pluralisme qui est non seulement d'ordre culturel et linguistique, mais qui doit aussi s'étendre aux carrières et à l'engagement social comme la politique et le syndicalisme.

Les exigences du pluralisme seront aussi grandes pour la société française. Lorsque la participation anglaise à la politique québécoise aura dépassé le cadre de la résistance au nationalisme, l'importance numérique de cette communauté imposera naturellement à la majorité française l'obligation de composer avec elle. Plus d'un million de personnes font partie de cette minorité, et la plupart demeurent sur l'île de Montréal où ils représentent environ 40 pour cent de la population totale. La moitié est d'origine britannique tandis que l'autre est d'origine diverse: juive, italienne, grecque, ukrainienne, allemande, hongroise, etc.

Mais le plus difficile sera d'accepter ceux qui, par la force de la loi, seront devenus francophones. Déjà ils contestent le caractère religieux des écoles catholiques, et ils se plaignent de l'ethnocentrisme et de l'unilinguisme qu'imposent la loi et les syndicats aux services sociaux. Demain, ils contesteront les déficiences de l'enseignement de la langue seconde dans les écoles et le laxisme qui règne dans ces institutions. Ils exigeront que leurs attentes et leurs mentalités soient reconnues. Ils invoqueront le principe des droits collectifs auxquel la majorité française aura probablement cessé de croire.

PREMIÈRE PARTIE

PERSPECTIVES HISTORIQUES

CHAPITRE I

Le conflit social et le régime seigneurial

La période de l'histoire du Québec qui reflète le plus fidèlement le genre de tensions qui se manifestent aujourd'hui entre Anglais et Français est celle qui précéda la Rébellion de 1837-38. Ce n'est pas que la période actuelle menace de déboucher sur une insurrection ou sur des luttes armées comme au temps des Patriotes, mais plutôt que notre époque et la leur partagent cette tournure d'esprit qui consiste à formuler chaque revendication et à expliquer chaque affrontement en termes idéologiques et ethniques. L'intransigeance est un trait commun aux deux époques.

C'est au début du XIXe siècle que prit corps le nationalisme français du Québec tel que nous le connaissons maintenant. Certes, le sentiment d'une communauté linguistique et religieuse existait auparavant; il perçait déjà sous le régime français. Mais il devint encore plus vivace sous le régime anglais alors que la politique officielle oscillait comme un mouvement de pendule entre le désir de submerger la population française et catholique et la nécessité de reconnaître la permanence des établissements français dans le Bas-Canada.

Au fur et à mesure que l'économie se diversifia, et que les institutions sociales assumèrent des missions essentielles au progrès, l'idée d'une nation distincte et autonome s'enracina dans les esprits. Cette prise de conscience fut favorisée par le régime politique, l'Acte constitutionnel de 1791, qui concédait une assemblée élective habilitée à voter des lois, mais conservait le pouvoir exécutif entre les mains du gouverneur et de ceux qu'il choisissait pour le conseiller. Ce régime constitutionnel favorisait l'affrontement entre les deux pouvoirs, l'un, français, et l'autre, anglais, l'un, préoccupé de politique et de société, et l'autre, intéressé à l'économie et au développement. Or, au fur et à mesure que la conscience nationale française se précisait, des marchands, comme James McGill et John Richardson, contribuaient à consolider la vocation économique de la population anglaise.

C'est également au début du XIXe siècle que se forma de façon définitive l'image que chaque groupe linguistique se faisait de l'autre. Les vues stéréotypées que l'on entretenait alors sur les caractères ethniques, sur les comportements et les attentes nationales, en vinrent à se durcir au point de dominer les discussions politiques et d'écarter toute possibilité de compromis et d'adaptation à des circonstances nouvelles.

Tout en reconnaissant qu'elle était fort industrieuse, les Anglais reprochaient à la population française son penchant pour la routine, son manque d'initiative, son inaptitude aux affaires et son esprit indiscipliné et réfractaire au progrès. On ne comprenait pas son attachement à des coutumes et à des institutions désuètes qui n'assuraient même plus une aisance satisfaisante et qui allaient visiblement à l'encontre de la prospérité du pays. Par contre, on percevait les Anglais comme étant à la fois matérialistes et puritains, âpres au gain, envahissants, intolérants et incompréhensifs à l'égard de particularismes autres que les leurs. Chaque groupe, à cause des préjugés défavorables qu'il entretenait à l'égard de l'autre et des illusions qu'il conservait sur son propre compte, acquit graduellement une intransigeance qui mena à la paralysie de la vie politique et économique et déboucha finalement sur la Rébellion de 1837.

Ces antagonismes si fermement ancrés dépassaient le simple cadre d'une rivalité ethnique ou linguistique. Le conflit portait surtout sur l'organisation même de la société et sur les buts recherchés par l'activité économique, et il atteignit une telle ampleur que la victoire de l'un signifiait presque automatiquement la ruine de l'autre. Or, jusqu'au XIXe siècle, il avait été possible pour les deux groupes ethniques de cohabiter dans le même espace géographique sans trop se heurter. Mais la croissance démographique française et le progrès matériel des marchands anglais rendirent absolument nécessaire l'harmonisation des intérêts divergents de chaque groupe. C'est ce que la société du Bas-Canada fut incapable de réaliser, ou même de concevoir, au moment où l'affrontement devenait peu à peu inévitable.

La question qui provoquait l'animosité la plus profonde et la plus durable fut celle de la réforme du système seigneurial, que le régime français avait conçu comme moyen d'assurer la colonisation du territoire et que le régime anglais avait conservé avec tous les droits et les coutumes qui en découlaient.

Les marchands anglais et américains qui arrivèrent au Canada à la suite de la Conquête se plaignirent amèrement d'avoir à se soumettre à des lois étrangères, c'est-à-dire françaises, alors qu'ils se trouvaient sous l'autorité de la Couronne britannique. Ils condamnaient ce système de droit et de propriété foncière comme un malencontreux vestige du Moyen Âge et une entrave au commerce et au progrès en général. Par contre, la population française voyait dans la teneure seigneuriale une institution essentielle à la préservation de sa survivance. Et elle le croyait d'autant plus fermement que la critique de la classe marchande se faisait de plus en plus vive. Le conflit portait sur une opposition fondamentale entre économie et société, sur le désir des marchands anglais et américains de développer le pays autant que possible, et sur celui de l'élite française de trouver une sécurité culturelle dans un régime juridique archaïque qui n'accordait aucune reconnaissance particulière au commerce et était par le fait même antiéconomique. Pour les marchands anglais, appuyés en cela par les gouverneurs, la réforme du régime seigneurial équivalait à l'assimilation éventuelle de la population française. Celle-ci voyait la chose d'un même œil. Ce régime de droit et de propriété devint donc une sorte de carapace, un moyen de défense contre le progrès économique tel que compris par les Anglais.

Le système politique et social implanté en Nouvelle-France n'était pas à proprement parler une survivance anachronique du régime féodal, quoiqu'il en conservait plusieurs aspects juridiques. Ce dont il faut se souvenir, c'est que la France du XVIIe siècle était déjà un royaume centralisé et bureaucratique, préfigurant les grands États modernes avec leurs administrations envahissantes. Depuis longtemps déjà, la monarchie avait neutralisé la noblesse en lui arrachant le droit de lever des impôts sans le consentement du parlement. Le roi gouvernait de façon absolue en s'appuyant sur des fonctionnaires choisis par lui ou recrutés en son nom. À toutes fins utiles, le régime féodal avait complètement disparu. De nouvelles formes de propriété du sol s'étaient imposées peu à peu et les pratiques commerciales s'étaient modernisées. Les charges les plus onéreuses n'étaient pas celles qui se rapportaient encore à la féodalité mais bien les exactions et les corvées imposées par l'administration royale, particulièrement sous Louis XIV. C'est donc dire que le cadre politique, social et économique de la Nouvelle-France fut conçu par les grands commis du roi un peu comme on le ferait aujourd'hui en vue de l'établissement d'une colonie sur une planète lointaine.

La politique coloniale en Nouvelle-France avait pour objet principal l'établissement d'une base permanente visant à assurer la poursuite de la traite des fourrures et l'exploration de l'intérieur du continent nord-américain. Il fallait y maintenir une population suffisante qui fournirait la main-d'œuvre nécessaire au commerce, à la défense de la colonie et à son approvisionnement. La coordination des conquêtes commerciales et militaires fut confiée au gouverneur, tandis que l'intendant voyait à l'administration et au bon ordre. Ce dernier appliquait les directives minutieuses qui lui parvenaient de Paris et qui portaient sur les sujets les plus variés comme la localisation des immeubles, la grandeur des terres et même les postes à pourvoir. On ne concevait pas que « ces quelques arpents de neige » puissent receler une richesse quelconque. La Nouvelle-France n'était, en réalité, qu'un tremplin vers un objectif lointain et ambitieux: la fondation d'un grand empire commercial occupant la plus grande partie du continent et prenant appui sur les fourrures du nord et les plantations du sud. Le système politique et social imposé à la colonie reflétait ces préoccupations.

Le moyen choisi pour encourager le peuplement le long du Saint-Laurent était inspiré de la tenure féodale, sous réserve de différences importantes. Le seigneur français avait été au Moyen Âge une figure d'autorité. Il conservait encore au XVIIe siècle son appartenance à une classe supérieure qui était toutefois impuissante et parasitaire. Par contre, le seigneur canadien n'était en réalité qu'un simple agent de colonisation tirant de modestes rentes des terres concédées en fief par le roi. Il détenait en monopole le droit de fournir certains services à l'intérieur de sa seigneurie, comme par exemple ceux du moulin et du four. Il devait aussi assumer certaines obligations comme l'entretien des routes. Les censitaires, c'est-à-dire ceux qui devaient payer le cens ou la rente, ne pouvaient aliéner leur terre sans le consentement du seigneur, qui en était en quelque sorte le copropriétaire et le demeurait lorsque la terre était donnée en héritage ou vendue. Mais, contrairement aux nobles français, le seigneur canadien devait subir l'inspection des fonctionnaires du roi. Si on ne le jugeait pas assez diligent dans le recrutement de nouveaux colons, ou encore s'il était incapable de satisfaire aux exigences de la concession originale, il risquait alors de se voir destitué et dépossédé.

Dans son esprit et son fonctionnement, la Nouvelle-France était une société précapitaliste sous la tutelle directe de Paris, situation qui devait avoir une influence profonde sur les mentalités et les modes de vie. Une des caractéristiques de ce régime inspiré de la féodalité était de n'offrir que très peu de débouchés à l'épargne personnelle. Selon la conjoncture, il était possible pour un censitaire de vivre à l'aise et de prévoir l'établissement de ses fils. Mais il pouvait difficilement s'enrichir en investissant ses épargnes dans l'immeuble et la propriété foncière. L'encadrement administratif et social en vigueur sous le régime français incitait à l'égalitarisme ainsi qu'au conformisme. Cet état de choses persista sous le régime anglais en dépit du fait que les contrôles bureaucratiques étaient disparus. Les épargnes étaient canalisées vers la consommation, domaine où il était le plus facile de se distinguer.

Mais, déjà avant la Conquête, les colons français et anglais en Amérique affichent des différences de mentalité assez importantes pour être notées par plusieurs voyageurs. L'un d'entre eux, un jésuite, le Père F.-X. Charlevoix, fait état de ces différences dans un récit de voyage publié à Paris en 1744: « Il règne dans la Nouvelle-

Angleterre et dans les autres provinces du continent soumises à l'Empire britannique, une opulence dont il semble qu'on ne sait point profiter; et dans la Nouvelle-France une pauvreté cachée par un air d'aisance qui ne paraît point étudié. Le commerce et la culture des plantations fortifient la première; l'industrie des habitants soutient la seconde, et le goût de la nation y répand un agrément infini. Le colon anglais amasse du bien et ne fait aucune dépense superflue; le Français jouit de ce qu'il a, et souvent fait parade de ce qu'il n'a point. Celui-là travaille pour ses héritiers; celui-ci laisse les siens dans la nécessité, où il s'est trouvé lui-même, de se tirer d'affaire comme ils pourront...[1] »

L'aspect le plus controversé du système seigneurial était sa tendance à entraver l'activité économique et l'amélioration de la productivité des terres. La propriété du sol, partagée comme elle l'était entre le seigneur et le censitaire, en réduisait considérablement la valeur, si bien que l'emprunt hypothécaire comme source de capital était pratiquement inconnu au Canada. Le système juridique, c'est-à-dire la Coutume de Paris, venait renforcer les effets du régime seigneurial. Il n'existait aucune obligation d'enregistrer les hypothèques dans un greffe public. Il était donc impossible de savoir jusqu'à quel point une terre pouvait être grevée d'emprunts secrets, ce qui rendait le marché hypothécaire inexistant et donnait parfois aux faillites un caractère frauduleux. La majorité française à l'Assemblée refusait même de permettre l'ouverture de bureaux d'enregistrement et de greffes dans les Cantons de l'Est qui furent peuplés par les Loyalistes après la Révolution américaine, et auxquels ne s'appliquait pas la tenure seigneuriale. De plus, dans le reste du Bas-Canada, le droit de propriété était amoindri par diverses dispositions juridiques émanant de la Coutume de Paris,

---

1. Cité par Fernand Ouellet in *Histoire économique et sociale du Québec, 1760-1850*, Fides, Montréal, 1966, p. 7.

comme le droit lignager qui accordait aux parents et héritiers d'un défunt le droit de reprendre possession dans un délai donné, et au prix de vente, de toute terre vendue par lui.

L'impossibilité de convertir la valeur des terres en capital productif représentait donc le grief principal que les marchands anglais faisaient au régime seigneurial et au régime juridique auquel il ressortissait. Ils réclamèrent à grands cris l'abolition de ce qu'ils appelaient la féodalité. Dans leurs campagnes successives auprès des gouverneurs britanniques et auprès du gouvernement impérial à Londres, ils soutenaient que les Français du Bas-Canada étaient responsables du faible apport économique de la colonie à cause de leur régime social archaïque et de leur mentalité rétrograde. Ils se plaignaient en outre de ce que les seigneurs étaient loin de fournir des services correspondant aux rentes et autres droits qu'ils percevaient des censitaires, et qu'ils négligeaient l'entretien des routes à un point où le commerce en était parfois complètement paralysé.

L'absence de droit commercial dans le système juridique du Bas-Canada était également une source de grande frustration pour les marchands anglais qui devaient recourir à la Coutume de Paris, un régime de droit précapitaliste. Cette situation compliquait indûment les relations commerciales et constituait une autre source de récrimination contre les hommes politiques qui formaient l'élite de la société française. Cette omission de la part du régime français, que le régime anglais n'eut pas l'occasion de corriger jusqu'alors, indique assez clairement que la Nouvelle-France n'était pas destinée à croître économiquement, qu'elle était principalement une base d'opérations militaires et commerciales plutôt qu'une véritable colonie de peuplement comme la Nouvelle-Angleterre. Le cadre rigide dans lequel la colonie fut enfermée sous le régime français servit donc de moyen de défense sous le régime anglais contre la pénétration du capitalisme et du modernisme.

Cependant, la crise qui déboucha sur la Rébellion de 1837 s'annonçait depuis longtemps déjà, et elle était vivement ressentie par la société française de l'époque. Ainsi, vers 1830, plus de la moitié des seigneuries les plus prospères étaient entre les mains de propriétaires anglais. Ce que l'élite et les censitaires français craignaient par-dessus tout était que l'abolition du régime seigneurial ne se fasse au profit des spéculateurs anglais plutôt qu'à celui des censitaires qui étaient en quelque sorte des copropriétaires. Les seigneurs, appuyés en cela par les gouverneurs et par la magistrature, avaient de plus en plus tendance à voir les censitaires comme de simples locataires et à leur nier le droit de copropriété inhérent au régime féodal. C'était là un facteur extrêmement important dans le raidissement de la société française contre tout changement à la lettre et à l'esprit des lois. Le régime que l'on défendait assurait depuis très longtemps la protection d'une société pauvre en capitaux et en entrepreneurs.

Par contre, les pressions du capitalisme anglais se doublaient de la possibilité d'un effondrement interne à cause du morcellement excessif des terres et de l'absence de débouchés locaux pour les surplus de population. Or, le surpeuplement des seigneuries commandait une réforme des institutions et des lois du Bas-Canada, laquelle à son tour encourageait l'activité spéculatrice. Celle-ci entraînait des charges encore plus onéreuses pour les censitaires et accélérait la désintégration du régime.

L'angoisse croissante que ressentait le Canada français dans ce premier quart du XIXe siècle tenait à ce que le maintien du système social et juridique se révélait aussi dangereux qu'une réforme qui, selon toute évidence, déposséderait la classe des habitants et décuplerait la force économique des marchands anglais. Or, lorsque la Rébellion éclata en 1837, ceux qui prirent les armes ne s'entendaient pas tous entre eux sur la cause qu'ils défendaient. Certains croyaient défendre le régime seigneurial, alors que d'autres, combattant à leurs côtés, souhaitaient l'abolition de la dîme, du cens et du droit coutumier français. D'autres, enfin, croyaient relancer au Bas-Canada l'idéologie de la Révolution américaine, qui avait eu lieu quelque soixante ans auparavant. Mais, ce qui les unissait était une opposition irréductible au capitalisme anglais.

Les luttes nationalistes furent menées principalement par les membres des professions libérales et par les intellectuels qui avaient gagné la confiance des habitants grâce à leur instruction supérieure et à la nature des services qu'ils rendaient. Avocats, notaires et médecins avaient complètement éclipsé les seigneurs et le clergé dans l'estime populaire. Ils surent profiter de l'ineptie de l'Acte constitutionnel de 1791 qui, tout en créant le Haut et le Bas-Canada, prévoyait une assemblée représentative sans reconnaître le principe d'un gouvernement responsable. Le pouvoir exécutif se trouvait entre les mains du gouverneur et d'un conseil choisi parmi les agents économiques les plus importants, c'est-à-dire les marchands anglais. Ceci entraîna une situation absurde où ceux qui s'opposaient le plus vigoureusement aux mesures votées par l'Assemblée étaient précisément les responsables de leur application.

Si forte était l'opposition entre le gouvernement et l'Assemblée, que cette dernière n'eut aucun scrupule à agencer le régime fiscal de façon à favoriser la majorité française. Les impôts approuvés par l'Assemblée exemptaient la propriété foncière et se trouvaient donc à épargner les professions libérales et les habitants. Ils frappaient seulement le commerce, sous forme de tarifs et de droits. C'est ainsi que ceux qui contribuaient au trésor public étaient principalement les marchands anglais, les Indiens de l'Ouest engagés dans la traite des fourrures, et la population du Haut-Canada dont les importations et les exportations passaient nécessairement par Montréal. Hostile au système commercial exploité par les Anglais, l'Assemblée refusait de voter les crédits nécessaires à l'amélioration des voies de communication, particulièrement celle du Saint-Laurent, que le Haut-Canada s'appliquait à aménager.

L'animosité entre Anglais et Français avait atteint un tel niveau que l'administration de la justice s'en ressentait. Il arrivait assez fréquemment que des jurés dans certains types de causes refusaient de condamner un de leurs compatriotes. À l'Assemblée, les membres du parti des Patriotes soumettaient parfois leurs adversaires politiques à des enquêtes publiques dont les résultats, souvent d'une justice douteuse, étaient destinés à les exclure de toute charge publique.

À la veille de la Rébellion, la population française du Bas-Canada était de 450 000, alors que la population anglaise était de 150 000. Quant au Haut-Canada, aujourd'hui l'Ontario, sa population avait atteint 400 000. Ces chiffres suggéraient aux marchands anglais de Montréal ce qui pourrait être une solution à leur problème: l'union législative des deux Canadas, mettant ainsi la représentation française en minorité et l'empêchant de paralyser les affaires et l'administration publique. Or, la force politique du Canada français s'étant effondrée avec l'écrasement de la Rébellion, l'Acte d'union de 1840 permit enfin à une majorité anglaise d'assumer le contrôle des institutions politiques dans l'espoir qu'il serait possible éventuellement de réaliser l'assimilation de cette population française entêtée et rétrograde.

Dans le rapport qu'il rédigea à l'invitation du gouvernement impérial sur les causes des tensions existant au Canada, et sur les moyens d'y remédier, Lord Durham épousa la plupart des attitudes des marchands et de la population anglaise, particulièrement en ce qui a trait à la nécessité de rendre les lois et l'administration publique compatibles avec l'activité économique. Les jugements qu'il exprimait il y a plus de cent ans réapparaissent aujourd'hui comme de vieux refrains de folklore dans les lettres aux journaux, les « lignes ouvertes » radiophoniques, les commentaires et les écrits politiques. Leur survivance laisse croire que les tensions du passé et celles du présent ont des causes qui se ressemblent.

Parlant des Canadiens français, Durham se plaint de la résistance qu'ils ont traditionnellement opposée au progrès économique: « Ces gens s'accrochèrent aux anciens préjugés, aux anciennes coutumes, aux anciennes lois, non à cause d'un fort sentiment de leurs heureux effets, mais avec cette ténacité irrationnelle d'un peuple mal éduqué et stationnaire[2]. » Il ne voit pas comment cette société peut survivre encore bien longtemps.

« On ne peut guère concevoir de nationalité plus dépourvue de tout ce qui peut vivifier et élever un peuple que celle des descendants des Français dans le Bas-Canada, du fait qu'ils ont conservé leur langue et leurs coutumes particulières. C'est un peuple sans histoire et sans littérature[3] », écrit Durham en faisant allusion au fait que ce sont des immigrants français qui dirigent les journaux et autres publications du Bas-Canada, et que le pays est complètement coupé de la France depuis la Révolution. « C'est pour les tirer de cette infériorité que je veux donner aux Canadiens notre caractère anglais[4] », déclare Durham.

Ses commentaires démontrent qu'il est parfaitement d'accord avec le jugement que la population anglaise de l'époque porte sur elle-même et sur les bienfaits que son travail, son esprit d'initiative et son sens des affaires ont apportés à la population française. Les arguments qu'il invoque trouvent leur écho aujourd'hui. « Les capitaux

2. *Le Rapport Durham*, traduction Denis Bertrand et Albert Desbiens, Les Éditions Sainte-Marie, Montréal, 1969, p. 12.
3. *Ibid.*, p. 123.
4. *Ibid.*, p. 121.

anglais furent attirés au Canada par la grande quantité de produits d'exportation de valeur et par les facilités commerciales qu'offraient les voies naturelles d'échanges intérieurs. On développa sur une échelle plus grande et plus profitable l'ancien commerce du pays. On exploita de nouveaux secteurs industriels. Les habitudes régulières et dynamiques des hommes d'affaires anglais éliminèrent de toutes les branches les plus lucratives de l'industrie leurs concurrents inactifs et insouciants de race française; mais par rapport à la plus grande partie du commerce et des manufactures du pays (presque la totalité) on ne peut pas dire que les Anglais aient empiété sur les Français; de fait ils ont créé des occupations et des profits inconnus jusqu'alors. Un petit nombre cependant des anciens colons ont souffert des pertes occasionnées par le succès de la concurrence anglaise. Mais tous ont ressenti plus vivement l'accroissement progressif d'une classe d'étrangers qui paraissaient devoir concentrer entre leurs mains les richesses du pays, et dont le faste et l'influence éclipsaient ceux de la classe qui avait occupé jusqu'ici le premier rang[5] », écrit Durham dans son rapport sur l'état des colonies britanniques en Amérique du Nord.

Cette volonté de préserver le régime seigneurial avec son caractère antiéconomique, en dépit d'un besoin pressant de progrès, tenait à une opposition irréductible au genre de capitalisme qui existait alors au Canada. Ce à quoi on résistait sans pouvoir le formuler de façon précise était la commercialisation et l'exploitation à outrance de quelques ressources comme le blé et le bois qui plaçaient les habitants à la merci des commerçants intermédiaires et de la conjoncture internationale. On s'opposait à l'entrée massive de capitaux étrangers et à l'orientation des dépenses publiques qui favorisaient les grands projets coûteux aux dépens d'améliorations

---

5. *Ibid.*, p. 14.

locales. Finalement, on déplorait la collusion évidente entre l'administration, d'une part, et les commerçants et entrepreneurs anglais, d'autre part, ceci à l'exclusion de toute participation française.

Mais le régime seigneurial, en tant que carapace ou rempart contre la pénétration économique anglaise, n'était plus viable au moment de la Rébellion. Le surpeuplement des seigneuries et l'exode massif de la population vers les États-Unis rendaient la société française vulnérable à l'appauvrissement et à la démoralisation. L'industrialisation apparut comme la seule réponse à ce problème. Mais l'esprit spéculatif, qui avait sapé le régime de l'intérieur, entravait l'industrialisation, en mettant, par exemple, les sites hydrauliques hors de prix.

Au grand soulagement de tous, le régime seigneurial fut finalement aboli en 1854. Mais sa liquidation s'effectua de façon à assurer aux habitants la possession effective du sol. Par la suite la société française, tout en jouissant des avantages que procurait l'industrialisation, put s'orienter vers la consolidation d'une nouvelle société rurale et agricole, basée sur la paroisse, et établie parallèlement à la société commerciale des Anglais. Grâce à l'alliance politique de Louis-Hippolyte Lafontaine et du réformiste haut-canadien Robert Baldwin, le Canada français s'ouvrit timidement à la petite entreprise et rechercha activement sa part du patronage de l'État.

Les tensions qui avaient donné lieu à l'affrontement et à la Rébellion s'apaisèrent peu à peu. Mais la condamnation du comportement économique anglais demeura tout aussi vive qu'auparavant, et continua à alimenter le nationalisme français du Québec.

CHAPITRE II

Le conflit économique et le capitalisme

Les comportements politiques au Canada ont toujours été étroitement reliés à la nature du développement économique. On note, du côté français, une profonde méfiance à l'égard du capitalisme et un certain dédain pour les affaires. C'est que l'on trouve difficile d'intégrer dans la trame sociale et culturelle française une activité économique que l'on identifie comme étant anglaise. Les périodes de conflit et de stagnation provoquent l'esprit d'obstruction et font parfois apparaître un désir collectif d'isolement.

Du côté anglais, les élites se préoccupent de canaliser les énergies vers le développement économique. Celui-ci, cependant, diffère de ce qu'il a été aux États-Unis; à toutes les époques il penche vers la promotion et la spéculation et manifeste très peu de cet esprit d'entreprise qui aurait assuré un développement plus harmonieux et mieux en accord avec les intérêts des populations locales. La politique officielle fut toujours de maintenir une forme de dépendance coloniale, d'abord vis-à-vis de l'Angleterre et ensuite des États-Unis. Et même à l'intérieur du pays, l'Ouest était administré comme une sous-colonie de l'Est, ce qui illustre la manière dont on concevait les rapports économiques au Canada.

Le comportement économique a nécessairement une influence considérable sur le comportement politique et social. La promotion et la spéculation favorisent l'esprit de clan, l'exclusivisme, la recherche de privilèges et d'avantages officiels. Comme l'information devient plus importante que la compétence, l'administration publique est jalouse de ses secrets et ne les partage qu'avec ses amis. L'histoire du Canada au XVIIIe et au XIXe siècles est l'histoire de la collusion entre le pouvoir et les agents de développement économique. De ce fait, les politiques officielles et les attitudes de l'élite financière affichent une très grande intolérance à l'égard de toute manifestation culturelle qui ferait obstacle à la croissance économique.

À cause de l'action qu'ils exercèrent les uns sur les autres, Anglais et Français se montrent d'accord sur un point particulier: économie et culture sont deux notions contraires et presque impossibles à réconcilier. On se croit obligé d'en choisir une et de rejeter l'autre tant les animosités sont indéracinables au cours de l'histoire. Lorsqu'au XIXe siècle Lord Durham parle de « deux nations en guerre au sein d'un même État », le premier ministre René Lévesque lui fait écho plus d'un siècle plus tard en parlant de « deux scorpions dans une bouteille ».

Toute l'histoire du Canada est donc faite de pressions et de résistances. Ainsi, lorsque l'Angleterre prit possession des territoires français en Amérique du Nord, on crut que la Proclamation royale de 1763 réglerait définitivement le sort de la Nouvelle-France. La traite des fourrures s'ouvrit aux marchands d'Albany et de New York tandis que les riches pêcheries du golfe Saint-Laurent étaient rattachées à Terreneuve et à la Nouvelle-Écosse. L'ancienne colonie française fut réduite à une mince bande de territoire s'étendant de chaque côté du fleuve, de la frontière actuelle de l'Ontario jusqu'en deçà de l'île d'Anticosti. On était convaincu que l'arrivée de colons anglais aurait tôt fait de submerger la population française à qui l'on permettait l'usage de sa langue et l'exercice de sa religion. En outre, on était confiant que l'esprit d'organisation et d'initiative de la classe marchande anglaise, appuyée en cela par un système de droit éclairé, constituerait un pôle d'attraction irrésistible assurant l'anglicisation à brève échéance.

Mais l'intégration de la Nouvelle-France dans l'empire colonial anglais ne put se réaliser de cette façon. Le climat rigoureux ne favorisait pas le peuplement rapide et intensif. Les marchands anglais, qui avaient amorcé la commercialisation des récoltes, se rendirent bientôt compte que, à l'intérieur de ses frontières étroites, le Canada n'était pas viable. Ils proposèrent de rétablir les anciennes frontières afin de respecter les considérations géographiques sur lesquelles devait se fonder l'activité économique. Quant à la population française, elle s'irrita des mesures assimilatrices qu'on lui imposait, et vit avec un certain intérêt le mouvement de révolte se dessiner parmi les anciennes colonies américaines. Afin de conserver la loyauté du Canada, le gouvernement impérial procéda à un revirement complet de sa politique coloniale avec l'Acte de Québec, en 1774.

Presque résignée à la perte de ses colonies du littoral de l'Atlantique, l'Angleterre agit comme si elle était prête à assumer pleinement la succession de la France au Canada. Elle reconnut les impératifs géographiques qui avaient fait de la Nouvelle-France une base d'opération pour la pénétration vers l'intérieur du continent. Comme pour la France, les immenses possibilités commerciales de la traite des fourrures dictèrent la nouvelle politique coloniale. L'Angleterre succéda à la France comme alliée des Indiens et se mit à les soutenir contre les pressions du peuplement en provenance de la Nouvelle-Angleterre et de la Virginie, ses anciennes colonies. Les marchands anglais de Montréal, grâce à leur accès privilégié aux marchés et aux capitaux britanniques, assumèrent naturellement la direction économique du Canada.

Pour assurer le succès de sa nouvelle politique coloniale, l'Angleterre ne pouvait se passer du concours actif de la population française. Son appui était nécessaire pour le peuplement et la défense du Canada, et pour conserver le pays et ses dépendances hors de la portée de la Révolution américaine. Seuls les Canadiens français étaient capables de reconstituer l'alliance avec les Indiens de l'Ouest qui, dans le passé, avaient manifesté une confiance inébranlable dans la France. Leur expérience était également vitale pour la poursuite de la traite des fourrures.

L'Acte de Québec de 1774, donc, rétablit les droits français qui avaient été abolis par la Proclamation royale de 1763. Les coutumes et le droit français furent reconnus de nouveau, y compris la tenure seigneuriale. Le gouvernement impérial, qui avait été sur le point de mettre sur pied une assemblée élue et des institutions démocratiques, se ravisa en faveur d'un gouverneur dont les pouvoirs ressemblaient étrangement à ceux de ses prédécesseurs français. Dans sa conversion complète à l'ancienne politique coloniale française, le gouvernement impérial refusa même de permettre la création de conseils municipaux, de crainte qu'ils n'en viennent à contester l'autorité des gouverneurs, comme cela s'était produit aux États-Unis.

En somme, l'Acte de Québec forçait Anglais et Français à cohabiter sur le même territoire et à réaliser les accommodements et compromis qui s'imposaient. Chaque groupe se voyait attribuer, pour ainsi dire, une fonction particulière, l'un étant chargé de l'économie et du commerce, l'autre de la société et de la politique. C'était la première fois dans l'histoire du Canada qu'apparaissait cette notion de vocations collectives et ethniques que l'on ne commença à contester qu'au XXe siècle. Ces vocations de groupes représentèrent le fondement des relations entre Anglais et Français à travers les différents régimes constitutionnels auxquels le pays fut soumis.

Au début du régime anglais, les gouverneurs se montrèrent sympathiques à la société française; en aristocrates, ils se sentirent plus près de ses élites cultivées que des marchands anglais plus frustres et âpres au gain. Mais peu à peu ils s'en détachèrent: le conservatisme et le caractère ombrageux des élites françaises semblaient devenir une entrave au progrès et une menace à l'harmonie du pays. Les gouverneurs finirent par se ranger carrément du côté des marchands, réalisant ainsi l'union presque complète entre le pouvoir exécutif et la gestion de l'économie.

Cette alliance devait survivre aux différentes étapes de l'histoire canadienne et devenir la pierre d'achoppement de toute entente véritable et durable entre les deux principaux groupes ethniques du pays. L'évidence même de cette alliance entre le pouvoir exécutif et le capital choqua le sens des valeurs de la société française qui voyait dans la personne du gouverneur le représentant de l'autorité royale, et s'attendait à ce qu'il demeure au-dessus des luttes politiques et des rivalités économiques. Mais surtout, on s'attendait qu'il agisse comme arbitre impartial et fasse le partage des exigences apparamment contradictoires de l'économie et de la culture. Dès lors, les élites françaises furent persuadées que les agents économiques avaient fortement contribué à pervertir le système politique.

L'accroissement des tensions entraîna la proclamation de l'Acte constitutionnel de 1791. Tout en reconnaissant les lois et les coutumes françaises, cette décision du parlement impérial limita l'espace géographique à l'intérieur duquel elles devaient s'appliquer; on créa le Haut et le Bas-Canada. On fit aussi quelques concessions au sentiment démocratique qui s'infiltrait à partir des États-Unis. La Constitution prévoyait la création d'assemblées élues pour chacune des deux parties du pays, mais sans accorder le gouvernement responsable, c'est-à-dire un ministère devant conserver la confiance de la chambre.

La raison qui justifiait cette omission était fort simple. Le gouvernement impérial ne voulut rien faire qui puisse nuire à l'alliance du pouvoir exécutif et du pouvoir économique dans la colonie. La géographie du continent nord-américain et les intérêts commerciaux britanniques convergèrent pour imposer l'application des politiques mercantiles et autoritaires que la France avait mises en application plus de cent cinquante ans auparavant.

Cette forme de gouvernement confirma l'opposition fondamentale entre le capitalisme anglais et la société française, et accentua des formes de comportement politique qui devaient se prolonger au-delà de la Rébellion de 1837. Comme les lois étaient votées par l'Assemblée mais administrées par le gouverneur et son conseil, la majorité française était en mesure de paralyser l'administration publique. La minorité anglaise se promettait de détruire un jour ce peuple obstructeur du progrès.

Les abus du système économique, surtout ceux qui naissaient de la collusion entre le pouvoir exécutif et les commerçants anglais, étaient vivement ressentis. Dans son rapport sur les causes de la Rébellion, Lord Durham nota l'influence que ces abus pouvaient avoir sur les comportements politiques.

« Les circonstances du début de l'administration coloniale écartèrent du pouvoir les natifs canadiens et mirent tous les emplois de confiance et rémunérateurs aux mains d'étrangers d'origine anglaise. Les plus hautes fonctions juridiques furent également confiées au même groupe. Les fonctionnaires du gouvernement civil, ainsi que les officiers de l'armée, composèrent une sorte de classe privilégiée, occupant les premiers rangs de la société d'où était exclue l'élite même des autochtones, comme elle l'était d'ailleurs du gouvernement de son propre pays. Ce n'est que depuis très peu d'années, ainsi que l'ont affirmé plusieurs personnes qui connaissaient bien le pays, que ce groupement de fonctionnaires civils et militaires a cessé d'afficher, vis-à-vis de la classe la plus distinguée des Canadiens, un air d'exclusivité et de dédain qui était encore plus révoltant pour un peuple sensible et poli que le monopole du pouvoir et du profit; et ce favoritisme national n'a pris fin qu'après des plaintes fréquentes et un combat haineux qui avaient allumé des passions que les concessions ne pouvaient apaiser[1] », écrivit Lord Durham qui, en définitive, n'avait que peu d'estime pour les Canadiens français et qui croyait que la façon la plus charitable de les sauver de leur ignorance était l'assimilation.

En traitant des problèmes du Bas-Canada, Lord Durham attribua la cause des abus qu'il constata à la guerre que se livraient Anglais et Français « au sein d'un même État ». Mais lorsqu'il examina la cause de la Rébellion dans le Haut-Canada, qui avait été menée par William Lyon MacKenzie, il découvrit la présence d'abus semblables, et ces abus persistaient sans la polarisation causée par les rivalités ethniques ou les lois françaises semi-féodales. Encore une fois, la collusion entre le pouvoir civil et le pouvoir économique, qu'aucune institution démocratique locale ne venait tempérer, se manifestait clairement. Dans son rapport, Durham s'attarda longuement sur cette concentration du pouvoir aux mains d'une élite pratiquant l'exclusivisme.

« Dans le rapport précédent sur ce fonctionnement du système constitutionnel dans le Bas-Canada, j'ai décrit

---

1. Le Rapport Durham, traduction Denis Bertrand et Albert Desbiens, Les Éditions Sainte-Marie, Montréal, 1969, p. 14.

l'effet que l'absence de responsabilité des vrais conseillers du Gouverneur produisait en plaçant l'autorité permanente entre les mains d'un parti puissant, uni ensemble non seulement par de communs intérêts de parti, mais par des liens personnels. Cependant, dans aucune des provinces nord-américaines, ce système n'a sévi pendant une si longue période ni à un tel degré que dans le Haut-Canada. Celui-ci a été depuis longtemps gouverné par un parti communément désigné à travers toute la province sous le nom de *Family Compact,* un nom qui n'est pas plus approprié que ne le sont d'habitude les étiquettes de parti, vu qu'il y a, en vérité, très peu de liens de famille parmi les personnes ainsi unies. (...) Les Gouverneurs qui se succédaient tour à tour, s'y sont, dit-on, ou tranquillement soumis, ou bien, après une opposition courte et vaine, ont cédé à ce parti bien organisé la conduite réelle des affaires. Le banc, la magistrature, les hautes fonctions de l'Église épiscopale, une grande partie de la profession légale sont occupés par les membres de ce parti. Au moyen d'octrois ou d'achats, ils ont acquis presque toutes les terres incultes de la province; ils sont tout puissants dans les banques à charte, et jusqu'à ces derniers temps ils ont partagé presque exclusivement entre eux tous les postes de confiance et rémunérateurs[2] », dit Lord Durham.

Les abus et les conséquences ruineuses qu'une telle situation pouvait entraîner se manifestèrent clairement à l'esprit de Lord Durham. Il prit soin de noter dans son rapport comment les dépenses publiques favorisaient généralement des intérêts particuliers et ne contribuaient que très peu au bien-être général. Par exemple, les fonds devant soutenir un réseau d'écoles primaires dans les villes et les villages de la province allaient en grande partie à l'Université de Toronto, dont l'accessibilité géographique et sociale était plutôt limitée. Les dépenses

---

2. *Ibid.,* p. 60-61.

affectées aux communications avaient pour but principal de faciliter, pour le bénéfice des commerçants et des spéculateurs, l'acheminement des produits agricoles et du bois vers le marché britannique. Ces dépenses étaient rarement conçues de façon à aider les agriculteurs ou encore à satisfaire des besoins économiques locaux. La distribution des terres de la Couronne se faisait surtout en faveur des amis du régime qui les conservaient incultes à des fins spéculatives. Ces abus avaient pour effet de faire obstacle au peuplement qui avait peine à atteindre une densité suffisante pour maintenir toute la gamme des services commerciaux et communautaires dont dépend la vie rurale, comme des moulins, des églises, des écoles et des routes.

La dette publique du Haut-Canada était à cette époque si élevée que les revenus du gouvernement ne suffisaient même plus à assurer le paiement des intérêts. La majeure partie de cette dette avait trait aux travaux de canalisation entrepris sur le Saint-Laurent. Le gouvernement du Haut-Canada avait accordé sa garantie financière sans avoir obtenu l'assurance que le gouvernement du Bas-Canada parachèverait ces travaux sur son propre territoire. Or, l'Assemblée du Bas-Canada, dominée par une majorité française hostile au commerce et au capitalisme anglais, refusa toute collaboration. Le Haut-Canada était donc en possession d'actifs totalement improductifs dont les coûts avaient été gonflés de façon démesurée par l'incompétence, le manque de prévision et la corruption officielle. Ces actifs constituaient une charge exorbitante pour l'économie de la province.

Comme conséquence de ces abus, l'économie et le commerce étaient stagnants. Le prix des terres ne représentait qu'une fraction de ce qu'il était dans les États américains voisins. Non seulement devenait-il de plus en plus difficile d'attirer les capitaux britanniques, mais ceux-ci avaient tendance à fuir vers les États-Unis. Le déséquilibre économique était accentué par un exode accéléré de la population dont les éléments les plus dynamiques recherchaient un régime politique et économique qui saurait mieux récompenser le travail et qui serait libre des contraintes du favoritisme et de la spéculation. Aucune des colonies britanniques d'Amérique du Nord ne manifestait dans son administration les sentiments démocratiques et l'esprit d'entreprise qui avaient animé la Révolution américaine soixante ans plus tôt.

Les anciennes colonies avaient réussi à renverser un système économique en vertu duquel leur développement était assujetti aux intérêts de la métropole. Elles n'exerçaient que très peu d'influence sur les prix offerts pour leurs produits, et sur ceux qu'on exigeait pour leurs importations. En outre, des obstacles fiscaux et juridiques empêchaient les colonies d'établir des relations commerciales entre elles, surtout dans des domaines susceptibles de faire concurrence aux commerces de la métropole. Le pouvoir politique se faisait le défenseur de ce système, et il distribuait faveurs et privilèges de façon à en renforcer l'acceptation.

En Nouvelle-Angleterre, par opposition au Sud où existait une agriculture de plantation, la Révolution eut un caractère nettement agraire. Elle opposait l'agriculture au commerce, et le développement harmonieux à la spécialisation régionale qu'exigeait l'appartenance à l'Empire. Elle chercha à étendre le contrôle populaire sur tous les aspects de l'administration publique. En même temps elle favorisa une distinction plus claire en ce qui a trait aux responsabilités de l'État à l'égard de ses électeurs, d'une part, et des agents de développement économique, d'autre part. Par ce fait même, les États-Unis réalisèrent un meilleur équilibre entre les intérêts nationaux et les intérêts locaux, une démocratisation du système économique, et un assainissement des mœurs politiques.

Cependant, les abus que la Révolution américaine avait combattus survécurent au Canada et dans les Provinces Maritimes. Le régime colonial devint encore plus despotique, en même temps que le gouvernement impérial cherchait à raffermir son emprise. De plus, l'arrivée massive de réfugiés politiques en provenance des États-Unis, les Loyalistes, contribua à envenimer le climat politique vers la fin du XVIIIe siècle. En plus d'être porteurs d'une longue tradition antifrançaise acquise à la suite des interminables guerres de frontières du régime français, les Loyalistes s'identifiaient étroitement au système économique et social que la Révolution avait renversé et que la population française du Bas-Canada était encore appelée à subir. La coexistence de deux communautés linguistiques différentes sur le même territoire se révéla donc de plus en plus difficile. Lorsque éclata la Rébellion en 1837, après plus d'une génération d'affrontements politiques, les Anglais étaient clairement identifiés comme des oppresseurs et les Français comme rétrogrades.

Après l'écrasement des mouvements insurrectionnels dans le Haut et le Bas-Canada, l'union des deux provinces fut conçue comme moyen de sauvegarder l'autorité impériale et de maintenir la paix. Mais son but premier était de placer la population française en minorité dans la nouvelle Assemblée des Provinces-Unies du Canada et de faciliter son assimilation par la majorité anglaise. Le gouvernement impérial était déterminé à briser l'obstruction de l'Assemblée aux investissements publics, à alléger le fardeau fiscal qu'elle faisait injustement porter au Haut-Canada, et à éliminer complètement le droit coutumier français à caractère antiéconomique.

Cependant, encore une fois, la population française fut sauvée par la convergence de certaines tendances historiques. L'Angleterre connaissait à cette époque une profonde agitation autour de la question du mercantilisme, identifié au régime colonial, et du libre-échangisme, associé à la supériorité croissante de l'industrie britannique sur le reste du monde. C'était aussi l'époque où le pouvoir économique en Angleterre était en train de passer des mains d'une oligarchie de commerçants et de grands propriétaires terriens, à celles d'une nouvelle classe d'industriels en train d'instaurer une nouvelle forme de capitalisme. Parallèlement à ce mouvement, l'Europe continentale était en proie à des convulsions politiques incontrôlables que suscitaient des regroupements disparates de démocrates, de nationalistes et de communistes, cherchant tous à endiguer les effets de la Révolution industrielle. En Amérique, la puissance économique des États-Unis commençait à créer un climat favorable à l'expansionnisme, situation qui pouvait devenir menaçante pour le Canada si les tensions sociales persistaient à l'intérieur.

C'est ainsi que le gouvernement de l'Union, constitué en 1840 pour protéger les intérêts commerciaux qui avaient depuis toujours dominé la vie de la colonie, en vint à réaliser une série de réformes dont les conséquences principales furent de modifier le caractère de l'administration publique, de la conduite de l'économie et de l'exercice du pouvoir. En 1845, le gouvernement accepta la création de conseils municipaux et scolaires, privant ainsi le gouverneur et ses conseillers d'une part importante de leur influence sur les affaires locales, et du patronage qui était distribué selon leur bon vouloir. En 1846, l'Assemblée des Provinces-Unies vota une adresse à la reine Victoria la priant de rétablir les droits du français, ce qui se réalisa en 1849, la conciliation s'imposant comme le meilleur moyen d'assurer le progrès et la paix.

Un an auparavant, le gouverneur, Lord Elgin, avait posé un geste sans précédent en invitant le leader réformiste du Haut-Canada, Robert Baldwin, et le chef de file du Canada français, Louis-Hippolyte Lafontaine, à former de concert un gouvernement. En plus de reconnaître le principe du gouvernement responsable, ce geste instaura une nouvelle ère dans les relations entre Anglais et Français.

Le pays étant à ce moment un État unitaire, Elgin reconnaissait en quelque sorte son caractère binational, ainsi que la nécessité pour le gouvernement de s'appuyer sur une majorité dans chacune de ses deux anciennes provinces. Il était évident alors que le Canada ne saurait survivre sans une collaboration étroite entre ses éléments anglais et français, et que les rivalités traditionnelles devaient être mises en veilleuse. L'égalité politique, cependant, se fondait surtout sur une égalité numérique entre les populations du Haut et du Bas-Canada.

Le principal artisan de ce rapprochement fut Robert Baldwin. Il entrevit, après la débâcle des deux mouvements insurrectionnels de 1837, et après le raidissement initial du gouvernement de l'Union, la possibilité de prendre le pouvoir grâce à une alliance des progressistes anglais et français. Son but était la réforme des institutions politiques de façon que les principales décisions économiques et sociales soient soumises à l'approbation populaire, et que, ce faisant, les dépenses publiques deviennent plus conformes à l'intérêt général.

Quant à Lafontaine, l'idée d'une alliance avec les réformistes du Haut-Canada s'imposa d'elle-même à lui. Le recours inconsidéré aux armes et la défaite ignominieuse de la Rébellion avaient démoralisé la population française et donné lieu à des mesures oppressives et revanchardes. Avec Baldwin, il entrevit la possibilité de renverser les politiques officielles. Son premier objectif était évidemment de rétablir le caractère officiel de la langue française au Parlement. Lafontaine chercha aussi à obtenir une participation française à l'administration du pays. Ceci se révéla plus difficile. Le compromis obtenu par Lafontaine était le meilleur qu'il pût espérer dans les circonstances: la création de ministères doubles pour répondre aux besoins sociaux et culturels différents du Haut et du Bas-Canada. Cependant, les ministères à caractère national, comme la trésorerie et la milice, ne furent pas scindés et demeurèrent exclusivement anglais.

Mais le problème le plus inquiétant était d'un tout autre ordre. Le surpeuplement des seigneuries et la crise économique de la décennie de 1830 provoquèrent une émigration massive vers la Nouvelle-Angleterre dont l'industrie attirait ceux que la terre ne pouvait plus faire vivre. En même temps, des vagues d'immigrants irlandais affluèrent au Canada, chassés par la famine qui sévissait dans leur pays. Ce double problème ne pouvait se régler qu'au moyen de nouvelles activités économiques de nature à absorber ce surplus de main-d'œuvre. Cela signifiait qu'il fallait finalement accepter le développement industriel et la mise en valeur des richesses du pays.

Ce nouveau genre de capitalisme apparaissait moins menaçant que l'ancien aux yeux de la population française. Au lieu de reposer sur la possession spéculative du sol, ou encore sur des activités manipulatrices comme la vente et l'achat, il semblait s'appuyer sur des notions plus concrètes comme le capital, les connaissances techniques et le travail. Il suscitait moins la méfiance populaire. Donc, le programme de redressement politique et économique proposé par Lafontaine n'apparut pas à ses contemporains comme un revirement radical. La majorité y fut consentante; elle désirait des changements qui promettaient un regain de vie à la société française de l'époque. L'industrialisation donnait à cette société les moyens de mettre fin à une longue période d'isolement social qui avait abouti à la Rébellion et mis en péril la survivance française elle-même.

En préconisant un nouvel esprit de collaboration avec la majorité anglaise, Lafontaine espérait que ses compatriotes français pourraient éventuellement devenir des participants de cet ordre économique créé par la Révolution industrielle. Il croyait que l'alliance politique avec Baldwin et les progressistes du Haut-Canada se traduirait en une alliance économique: grâce à la protection de l'État, les entrepreneurs français auraient la possibilité d'accumuler le capital nécessaire pour participer de plain-pied à la gestion économique du Canada et concur-rencer leurs rivaux anglais.

Si cette vue demeura quelque peu illusoire, la raison en est que le Canada, bien qu'ayant eu l'expérience de la Révolution industrielle, n'est devenu un pays vraiment industriel que vers la moitié du XXe siècle. À venir jusqu'à ce moment, sa prospérité reposait surtout sur l'exporta-tion de produits agricoles et de matières premières. C'est donc dire que les politiques d'investissement, de trans-port et de développement général durent se conformer aux grandes lignes du modèle établi à l'époque de la traite des fourrures et de l'empire commercial du Saint-Laurent. Les impératifs d'une économie axée sur les marchés d'ex-portation continuèrent à dominer l'activité politique, les dépenses publiques et la société canadienne en général. Dans ce contexte particulier, il devint impossible de modifier de façon permanente le caractère traditionnel des relations entre Anglais et Français.

Étant donné la nature des facteurs qui avaient autre-fois assuré la prospérité du pays, l'activité la plus impor-tante pour le développement de l'économie nationale conserva son caractère de promotion. Les hommes poli-tiques et les banquiers continuèrent à travailler main dans la main pour promouvoir les occasions d'investissement auprès de financiers britanniques et américains. De même, il fallait faire appel à l'étranger pour les connais-sances techniques et les compétences nécessaires à la transformation du pays. Les électeurs canadiens furent toujours sensibles aux hommes politiques comme John A. Macdonald qui avaient une vue optimiste de l'avenir économique. Une telle vue entraînait une augmentation des dépenses publiques qui se traduisait par une augmen-tation de l'embauche et par des profits énormes pour les promoteurs et les investisseurs.

C'est ainsi que la construction de canaux et de che-mins de fer contribua à reproduire les conditions qui étaient associées à l'ancien ordre commercial du XVIIIe

siècle que Lord Durham avait observées et condamnées. L'aspect hautement spéculatif du développement économique encouragea de nouveau la formation de cliques financières et politiques exerçant une influence déterminante sur les décisions gouvernementales et contrôlant l'information pertinente de façon à ne la partager qu'avec des amis. De même, la tendance à la concentration du pouvoir économique prit encore une fois le dessus. De cette façon, la nouvelle forme de capitalisme issu de la Révolution industrielle perpétua les effets du capitalisme commercial et mercantile des siècles précédents.

Il n'est donc pas surprenant de constater que, vers les années 1860, le régime de l'Union était paralysé comme l'avaient été ses prédécesseurs du Haut et du Bas-Canada trente ans plus tôt, et sensiblement pour les mêmes raisons. Les dépenses publiques se concentrèrent sur des travaux publics, tels les canaux et les chemins de fer, au détriment d'améliorations qui auraient pu profiter aux populations locales. Finalement, le symptôme caractéristique d'une mauvaise gestion gouvernementale fit de nouveau son apparition: la dette publique atteignit un niveau dangereusement haut, plus élevé que les ressources des contribuables. La population française commença alors à céder à la tentation de l'obstruction politique, parce que les taux d'imposition auxquels ils étaient assujettis servaient à soutenir des investissements qui ne leur apportaient aucun bénéfice ou profit, à cause de l'exclusion presque systématique dont ils étaient l'objet dans le monde des affaires.

La Confédération régla le problème de la dette publique du régime de l'Union. La capacité du Canada de rembourser sa dette fut sensiblement améliorée par l'inclusion des Provinces Maritimes qui eut pour effet d'augmenter le nombre des contribuables. Cependant, l'augmentation correspondante du nombre des électeurs élimina toute possibilité pour la population française de paralyser de nouveau l'action du Parlement. En contrepartie, le Québec se vit offrir le contrôle de son droit civil et de ses institutions sociales et culturelles, ainsi qu'une certaine autonomie financière et une liberté relative pour l'aménagement de son territoire.

Le compromis s'avéra assez juste pour assurer la paix politique pendant une centaine d'années encore, et laisser les mains libres aux milieux financiers désireux de coloniser et de peupler l'Ouest du Canada. La société française se renferma dans une nouvelle carapace, celle de la paroisse rurale, dont l'encadrement était assuré par le clergé catholique. La solidarité ethnique, la préservation de la langue et de la culture françaises, l'exercice de la religion catholique et la possession du sol constituaient les éléments de base d'une idéologie principalement préoccupée de survivance collective.

L'industrie était à la fois une solution au problème du surpeuplement rural et une menace aux traditions culturelles de la population. Par la façon dont elle contribuait à modifier les mentalités, elle constituait une menace à la cohésion de la société française et catholique. Le travail en usine imposait une nouvelle discipline dont il fallait absolument faire l'apprentissage, et il exigeait une forme de loyauté qui entrait en conflit avec celle qu'imposaient les institutions traditionnelles comme l'Église, la famille, le milieu paroissial et le cours de la vie rurale. L'industrialisation provoqua les tensions et l'instabilité en remplaçant les anciennes conceptions que l'on se faisait de son rôle et de sa place dans la société, par de nouvelles notions de carrière et de mobilité sociale. Il y eut une érosion des relations complexes propres à une société rurale et traditionnelle, par cette nouvelle pratique qui consistait à remplacer les anciennes obligations morales et psychologiques par des paiements en argent. Toutes ces expériences contribuèrent à une certaine désorientation, et elles poussèrent les élites les plus conservatrices à se raidir contre le changement.

Le clergé et les éléments nationalistes s'unirent dans

leur condamnation de la société industrielle, des dangers de la grande ville, des ravages de la grande entreprise et des effets nocifs du modernisme sous toutes ses formes. Ces vues s'imposèrent grâce à un système électoral qui accordait un poids disproportionné au vote rural et entraînait fatalement la négligence des besoins urbains. Mais vers 1950, Québec avait fait l'expérience d'un exode si fort vers les villes que l'ancienne idéologie et l'ancienne société rurales n'étaient plus viables. Les profonds changements de mentalité qui se produisirent peu à peu depuis le début du XXe siècle obligèrent la société française à abandonner sa carapace et à se rallier carrément à la société industrielle qui s'était érigée autour d'elle. À ce moment, il devenait inévitable que l'on conteste de plus en plus fortement le contrôle qu'exerçait la société anglaise de Montréal et du Canada sur la vie économique.

CHAPITRE III

Les droits collectifs et les droits individuels

Dans un livre publié en 1969, *La Question du Qué-bec*[1], le sociologue Marcel Rioux faisait remarquer que les Anglais sont individualistes tandis que les Français sont collectivistes, et que c'est cette différence qui les sépare. Aux XVIIIe et XIXe siècles, cette distinction était fondée surtout à cause des attitudes que chacun de ces groupes manifestait à l'égard de la propriété. Pour les Anglais, la terre a toujours été un bien monnayable, capitalisable, que les individus pouvaient vendre ou hypothéquer à leur gré. Mais pour les Français qui vécurent sous la tenure seigneuriale jusqu'en 1854, la terre conserva pour ainsi dire un certain caractère communal.

---

1. Marcel Rioux, *La Question du Québec*, Seghers, Paris, 1969 (Parti Pris, Montréal).

Mais, avec la société industrielle du XIXe siècle et la société de consommation du XXe, cette distinction entre individualistes et collectivistes perd beaucoup de son sens. Aujourd'hui, les élites anglaises du monde des affaires se sont fondues dans de vastes organisations bureaucratiques. Ils sont aussi attachés à leurs grandes sociétés nationales que l'est la classe des fonctionnaires québécois au gouvernement provincial. Ni les uns ni les autres ne sont particulièrement individualistes. Les deux acceptent volontiers le caractère hiérarchique et l'idéologie qui sont associés à ces deux types de bureaucratie, l'une privée et l'autre publique.

Néanmoins, vers la fin des années 60, cette théorie des Anglais individualistes et des Français collectivistes refit surface dans la conscience populaire. Cette identification se fit à l'occasion des querelles linguistiques qui, à ce moment-là, touchaient au rapport de forces entre l'anglais et le français au Québec et au Canada. La défense du statu quo fut menée par le groupe anglais au nom des droits individuels, surtout en ce qui avait trait au libre choix de la langue d'enseignement. Par contre, les nationalistes québécois invoquèrent les droits collectifs pour affirmer la primauté de la langue française au Québec et restreindre l'exercice du libre choix de la langue d'enseignement. C'est ainsi que des notions périmées alimentèrent les débats politiques et retrouvèrent une nouvelle actualité.

Pour les Anglais, le Canada est un pays à majorité anglaise où les droits ne s'exercent que sur une base individuelle et ne se rattachent qu'à la personne, comme le droit de vote. Même si le Québec est majoritairement français, la communauté anglaise considère que la province fait partie d'un ensemble anglo-canadien et que, par conséquent, ses membres possèdent les mêmes droits individuels que des Anglo-Ontariens ou des Anglo-Albertains. Pour la défense de la langue anglaise dans l'enseignement et dans la gestion des grandes entreprises, on invoque aussi les traditions anglaises de libéralisme et de libertés civiles qui sont étroitement liées au libre exercice du droit de propriété. Ce faisant, on trouve le moyen de reprocher à la communauté française le fait qu'elle ne semble pas convenablement initiée au rituel démocratique tel qu'on le pratique en Amérique du Nord.

Ces idées ont été fréquemment exprimées par des hommes d'affaires éminents de Montréal, comme par exemple le président du conseil de la Banque Royale du Canada, Earle McLaughlin. S'adressant à la Chambre de commerce de Montréal, il déclara que les Canadiens français étaient sûrement intégrés à la vie de ce continent-ci, « dans le sens où ils acceptent automatiquement les libertés fondamentales caractéristiques de la société nord-américaine ». Entrant dans le vif du sujet — la Loi 101 —, il dit que ces libertés « comprenaient les libertés de mouvement et d'expression avec un minimum de réglementation ou d'intervention gouvernementale dans la vie quotidienne ». Il posa ensuite la question de savoir si le Québec voulait « une société ouverte avec la liberté de choisir sa langue et son genre de vie », ou « une société planifiée et réglementée où certains droits fondamentaux sont abrogés ».

Il en est de même dans le domaine de l'éducation. La Loi 22 du gouvernement Bourassa souleva l'opposition du Bureau des écoles protestantes du Grand Montréal. Témoignant devant une commission de l'Assemblée nationale, son président, John Simms, décrivit le projet de loi en ces termes: « Encore une autre tentative paternaliste et autoritaire d'un de nos gouvernements bienveillants pour restreindre les libertés de la population. » Dans le mémoire qu'il présentait à cette commission, le Bureau des écoles protestantes déclara: « Il est incroyable que, de nos jours, un gouvernement éclairé n'accepte pas ce principe fondamental selon lequel toute législation s'appuyant sur la langue revient à nier l'égalité de tous les hommes devant la loi. » La question que l'on posait était de savoir « si le Québec est une société démocratique[2] ».

Du côté français on reconnaît l'importance des droits individuels, mais seulement dans une situation où une protection équivalente existe pour les droits collectifs. On soutient que, en tant que collectivité, la population française ne participe pas comme elle le devrait à la gestion de certains secteurs comme la vie économique, et que l'on doit imposer l'usage du français dans les affaires et dans l'éducation afin de protéger les intérêts légitimes de la collectivité.

Au cours des audiences publiques consacrées à l'étude de la Loi 22, la majorité des associations de langue française se montrèrent d'accord avec les restrictions que l'on voulait apporter à l'accès à l'école anglaise, et beaucoup d'entre elles exigèrent des mesures encore plus sévères. Une association de parents de l'école Saint-Ernest, de Laval, exprima un sentiment fort répandu lorsqu'elle affirma que « la défense du patrimoine national ne peut être laissée à l'initiative individuelle des citoyens. C'est un héritage commun et les droits de la collectivité québécoise priment les droits individuels pour la défense de cet héritage. »

La Ligue des droits et libertés de la personne, la plus importante association de ce genre au Québec, exprima un point de vue semblable: « C'est une illusion dans tous les domaines de la vie en société de parler de droits individuels si les conditions sociales faites aux individus ne leur permettent pas de développer leurs ressources personnelles comme il convient, ni d'avoir accès à un patrimoine collectif qui les aide à conquérir dans les faits leur identité et leur égalité de droits. » À cette notion, toutefois, le monde des affaires anglophone oppose l'idée que l'entreprise a le droit de choisir sa langue d'usage en fonction de l'efficacité, et que ce droit prime les droits collec-

---

2. Traduction des auteurs.

tifs français que l'on pourrait invoquer. L'économique prime le social.

Quoique l'existence de droits collectifs soit discutée principalement en rapport avec les droits du français, ce principe n'est pas nouveau au Canada et il assume des formes très variées. Personne ne conteste, par exemple, le caractère légitime des syndicats, des coopératives agricoles ou des caisses populaires. Toutes ces organisations furent créées dans le but de permettre à des groupes de personnes démunies d'obtenir des avantages que leurs membres n'auraient pu se procurer en agissant individuellement.

Cependant, il est intéressant de noter que l'idée de droits collectifs est beaucoup mieux acceptée aux États-Unis qu'au Canada anglais. Le recours collectif, ou *class action*, fait partie depuis longtemps du droit américain. De même, après 1970, des programmes de redressement de griefs collectifs, connus en anglais sous le nom d'*affirmative action*, imposent l'obligation d'embaucher des pourcentages déterminés de membres de groupes minoritaires comme les femmes, les Noirs et les Amérindiens. Des membres de la culture anglo-saxonne majoritaire ont soutenu devant les tribunaux être victimes d'une sorte de « contre-discrimination », et ils ont demandé, sans succès, que l'on mette fin à ces programmes visant à éliminer les disparités socio-économiques.

Au Canada, par contre, ce n'est que très récemment que certaines provinces, dont le Québec, autorisent le recours collectif devant les tribunaux. Quant au principe du redressement des griefs collectifs, il ne reçoit qu'un appui plutôt mou de la part des autorités fédérales. La Commission canadienne des droits de la personne est autorisée depuis 1977 à enquêter sur des plaintes de discrimination et à faire des recommandations pour le redressement de torts à l'endroit de certains groupes. Autrement, ce principe ne reçoit aucun appui. Il existe cependant certains programmes d'ordre non juridique pour encourager l'embauche de membres de groupes minoritaires. En somme, il n'existe au Canada que très peu de sympathie pour cette notion de droits et de recours collectifs. Au Québec anglais, elle inquiète à cause de sa connotation d'autodétermination et d'invasion du domaine économique. Au Canada anglais, elle inquiète parce qu'elle suggère une égalité et un accès au pouvoir que l'on refuse d'envisager pour les minorités. Au Québec français, la question des droits collectifs de la minorité anglophone n'a jamais même été évoquée.

Évidemment, les attitudes exprimées de part et d'autre au Québec sur les droits individuels et collectifs reflètent certaines traditions contraires. Les droits individuels invoqués par les milieux anglophones veulent renforcer le statu quo et la prépondérance de la culture économique anglaise. Par ailleurs, les droits collectifs français, s'ils étaient acceptés, signifieraient la fin du système de stratification ethnique qui a toujours existé au Canada. Ces mêmes droits collectifs serviraient aussi à imposer l'exclusivisme français sur le territoire du Québec.

L'hypothèse historique sur laquelle se fonde la défense des droits individuels suppose que l'anglais est prépondérant au Canada et que ces droits ne peuvent s'exercer que dans ce contexte particulier[3]. La raison pour laquelle cette notion persiste parmi la communauté anglaise du Québec, et ceci en dépit de la présence de la majorité française, est que cette communauté a toujours identifié sa culture à son activité économique qui, à venir jusqu'à récemment, couvrait l'ensemble du pays. Le sentiment que la prédominance de l'anglais est légitime et naturelle se retrouve chez Lord Durham qui, dans son rapport aux autorités impériales, suggère que la culture

---

3. Pour une discussion plus élaborée de ce concept voir R. N. Morris et C. M. Lanphier, *Three Scales of Inequality, Perspectives on English-French Relations*, Longman-Canada, Toronto, 1977.

française est inférieure à cause de l'incompréhension qu'elle manifeste devant les problèmes économiques.

Ce sentiment de la supériorité anglaise se retrouve dans les contextes les plus variés. Au XVIIIᵉ siècle, « le droit des Anglais », tel qu'exprimé par Edmund Burke en réponse aux « droits de l'homme » promulgués par la Révolution française, devait avoir préséance sur tous les autres[4]. Cette idée eut une influence considérable sur la pensée de Lord Durham. Elle reprit une nouvelle vigueur au tournant du siècle, grâce à un groupe d'intellectuels et hommes d'affaires de droite, aux États-Unis et en Angleterre, connus sous le nom de *Social Darwinists,* qui voulaient transposer les théories de Darwin sur la biologie et l'évolution dans le domaine social et politique. Ils affirmaient que les plus forts étaient les mieux qualifiés à gouverner la société, que ce soit en Europe, en Amérique, en Afrique ou en Asie. Cette école de pensée encouragea l'extension de l'hégémonie anglo-saxonne à travers le monde. Elle eut une influence considérable sur les hommes politiques canadiens, de John A. Macdonald à William Lyon MacKenzie King puis à John Dienfenbaker. Leur attitude se manifestait dans l'appui qu'ils accordaient aux politiques impériales britanniques, dans la manière de traiter la minorité française à travers le pays, et surtout dans cette identification exclusive du progrès économique à la culture anglo-saxonne.

L'Acte de l'Amérique britannique du Nord révèle clairement les moyens utilisés pour perpétuer la prépondérance anglaise. Comme l'a signalé Claude-Armand Sheppard[5], l'Acte protégeait la majorité plutôt que la

---

4. Pour une étude des droits anglais et des droits de l'homme, voir Hannah Arendt, *The Origins of Totalitarianism* (Part Two: *Imperialism*), Harcourt, Brace and World, New York, 1951, p. 175.

5. Claude-Armand Sheppard, *Inventaire critique des droits linguistiques au Québec,* Étude pour la Commission d'enquête sur la situation de la langue française et des droits linguistiques au Québec, l'Éditeur officiel du Québec, 1973, p. 111.

minorité, et, ce faisant, défendait les droits individuels au détriment des droits collectifs. L'article 133 place l'anglais et le français sur un pied d'égalité, au niveau du gouvernement fédéral et à celui du gouvernement du Québec, en ce qui a trait à la législation, aux registres permanents et aux cours de justice. Mais, omission significative, l'Acte ne dit rien de la langue d'usage dans la fonction publique fédérale ni dans les communications avec les contribuables.

L'abrogation des droits du français dans les provinces de l'Ouest et en Ontario procédait de ce même désir de contrôle exclusif. C'est aussi ce qui animait l'opinion en Ontario, au moment de la Confédération et de la Rébellion des Métis, dirigée par Louis Riel, alors que l'on réclamait bruyamment la colonisation de l'Ouest et la destruction de toute influence française. C'est ainsi que George Brown, directeur du journal *Toronto Globe*, pouvait écrire en 1869: « Nous espérons voir naître un nouveau Haut-Canada dans les Territoires du Nord-Ouest — une société disciplinée dans son éducation, sa moralité et sa religion. » Mais la promotion de l'exclusivisme anglais n'était pas que l'affaire de gens ultra-conservateurs. Y participaient aussi des progressistes aussi éminents que J. S. Woodsworth, le fondateur du parti Co-operative Commonwealth Federation (CCF), qui est l'ancêtre du Nouveau parti démocratique, et John W. Dafoe, directeur du quotidien *Winnipeg Free Press*. C'est dans le même esprit que le gouvernement canadien se portait presque automatiquement à l'aide des autorités impériales, comme il le fit durant la Guerre de Boers à la fin du siècle dernier malgré l'opposition du Québec et d'hommes politiques comme Henri Bourassa.

Les sentiments de supériorité culturelle et ethnique ont cessé depuis longtemps d'animer les décisions politiques au Canada et ont fait place à un certain libéralisme dans la manière de traiter les minorités. Il s'est même produit un renversement des anciennes politiques grâce à l'adoption de la Loi des langues officielles par le Parlement fédéral, au rétablissement partiel des droits scolaires français en Ontario et au Manitoba, et à la reconnaissance du français comme langue officielle au Nouveau-Brunswick. Mais de nombreux vestiges du passé subsistent, comme le sentiment de la prépondérance économique de l'anglais.

On en perçoit des traces dans les chartes des droits de la personne adoptées par différentes provinces, et qui reflètent toutes l'idée qu'il n'y a au Canada qu'une seule culture, anglaise, et que tous les individus, quelle que soit leur origine, peuvent y trouver place. Cela veut dire qu'un francophone ne peut s'attendre qu'à être traité comme les autres, dans ce système, pourvu qu'il soit prêt à renoncer à l'usage de sa propre langue. Les différentes commissions des droits de la personne seraient prêtes à combattre les sociétés refusant d'embaucher des francophones, mais elles ne les forceraient pas à modifier la langue de travail. Or, le gouvernement du Québec a provoqué un tollé à travers le Canada lorsqu'il chercha à imposer le français comme langue économique à l'intérieur de son propre territoire. Par ailleurs, le gouvernement fédéral n'a jamais réussi à créer des unités et des bureaux français à l'intérieur des ministères à vocation économique.

Les politiques fédérales visant à promouvoir le caractère multiculturel du Canada sont également inspirées de l'idée d'une culture dominante. Pour cette raison, elles ont soulevé la méfiance des francophones au Québec et dans le reste du pays qui considèrent, à tort ou à raison, qu'elles représentent une trahison du pacte confédératif, en vertu duquel le pouvoir au Canada est partagé entre deux cultures principales, l'une anglaise, l'autre française. Mais la philosophie fédérale suggère qu'il existe au pays une mosaïque culturelle où chaque groupe ethnique jouit d'un statut égal et d'une protection similaire dans un cadre qui est essentiellement anglais, sauf pour quelques concessions au régionalisme français du Québec.

Depuis quelques années, les principaux arguments en faveur de la prépondérance anglaise ont été fournis par les dirigeants des grandes sociétés nationales à Montréal et ailleurs au pays. Ces dirigeants soutiennent que la société industrielle et commerciale contemporaine exige l'utilisation de l'anglais, du moins dans les activités de gestion et de recherche scientifique. Cette argumentation laisse entendre que les élites canadiennes dans l'entreprise utilisent l'anglais non pas par attraction culturelle, mais bien parce que l'anglais représente la langue internationale par excellence. C'est pourquoi elles considèrent que l'imposition du français comme langue d'usage dans les affaires au Québec est rétrograde et manifeste une attitude quelque peu folklorique.

L'éminent sociologue canadien John Porter, qui est l'auteur de *The Vertical Mosaic,* exprima des vues analogues lors d'un colloque organisé par la Fondation canadienne des droits de l'homme à Montréal en 1978. Le professeur Porter souligna que le désavantage principal de la diversité culturelle était qu'elle contribuait à perpétuer l'existence des modèles traditionnels de discrimination basés sur l'appartenance ethnique. Selon lui, la meilleure tactique pour les membres de groupes ethniques est de tourner résolument le dos à leur ancienne culture nationale et de s'intégrer le plus rapidement possible à la majorité canadienne. Au cours de cette conférence, il fit également part de son opposition à la notion des droits collectifs parce qu'ils vont à l'encontre de la modernisation et de l'organisation bureaucratique.

L'idée que la population française doive accepter de se soumettre aux impératifs économiques qui commandent l'utilisation de l'anglais est souvent apparue au cours de discussions politiques à Montréal. Au moment même où commençaient à se dessiner les grandes lignes du conflit linguistique au Québec, John Simms, qui était à ce moment un membre influent de la hiérarchie presbytérienne à Montréal, déclara que la langue anglaise était devenue indispensable du point de vue économique partout dans le monde, et que, « pour les gens d'expression anglaise au Québec, il n'y a rien d'autre à faire qu'à forcer de plus en plus de gens à adopter le système anglais et à apprendre l'anglais[6] ». Mais, que ce soit dans le domaine des affaires, ou dans les milieux universitaires, ou dans un cadre religieux, les élites anglophones n'admettent pas que leur attitude puisse s'inspirer d'une identification à une culture particulière ou d'un certain chauvinisme. La raison économique revient constamment pour justifier les attitudes traditionnelles et le maintien du statu quo.

Du côté français, on s'est toujours plu à imaginer la Confédération comme un pacte conclu entre deux partenaires égaux. Mais, en réalité, ces arrangements constitutionnels ne faisaient que refléter le véritable rapport des forces entre Anglais et Français. Les premiers voyaient leur rôle économique confirmé par la nouvelle constitution. La société française, consciente de sa fragilité et de ses limitations, se retrancha encore une fois derrière une carapace sociale où elle serait à l'abri de certaines pressions indésirables de l'industrialisation et du modernisme. La paroisse rurale et agricole devint le centre de la vie française, ce qui explique la sollicitude des pouvoirs publics à son égard et l'importance qu'elle assuma dans l'idéologie québécoise jusque vers 1960, au moment ou se manifesta une nouvelle conscience urbaine.

Le ruralisme avait survécu trop longtemps, et le Québec commençait à accuser des retards économiques qui pouvaient se révéler désastreux à moins d'un redressement énergique. C'est ce que la Révolution tranquille tenta d'effectuer. Mais c'était une situation génératrice

---

6. Cité par Marcel Rioux, *La Question du Québec*, p. 158 (par erreur son nom est devenu Simons).

d'angoisse. L'économie rurale qui avait été le point d'appui de la culture française, était en train de s'effriter alors que la conquête de l'univers urbain semblait très lointaine et peut-être même irréalisable. La vulnérabilité de la société française apparut donc au grand jour, et la question de la survivance collective en vint rapidement à dominer les discussions politiques. La pensée nationaliste commença alors à se préoccuper de droits collectifs, surtout dans ce milieu urbain et industriel que l'on avait si longtemps négligé et dont les mécanismes demeuraient encore à peu près inconnus.

L'affirmation des droits collectifs français faisait partie d'un programme ambitieux de modernisation et d'adaptation à la société urbaine et industrielle. Dans cette perspective, il fallait à la fois une arme et une justification pour l'invasion du domaine économique traditionnellement occupé par la société anglophone de Montréal et du Canada. La lutte s'engagea donc sur plusieurs fronts à la fois.

Au niveau fédéral et canadien, il y eut en 1965 l'entrée en politique des Trois Colombes (comme on les appelait alors): Pierre Trudeau, Jean Marchand et Gérard Pelletier. Leur but était d'assurer au sein du gouvernement fédéral une présence française mieux accordée aux nouvelles orientations urbaines du Québec. On voulait également, par le jeu de la politique, élargir le champ des carrières accessibles aux francophones dans la fonction publique fédérale, opération que l'on nommait en anglais *French Power*. Simultanément, les autorités fédérales instituèrent différents programmes destinés à soutenir les communautés francophones hors-Québec et à assurer des services en français aux contribuables qui en manifestaient le désir. Au Québec, l'optimisme de la Révolution tranquille s'atténua, la conquête de l'économie se révélant plus longue et plus difficile qu'on l'avait d'abord cru. Le pessimisme s'implanta et l'on se mit à redouter les tendances démographiques défavorables résultant de la

66

chute du taux de natalité et de l'intégration des immigrants à la communauté anglaise. Cela entraîna des demandes pressantes pour l'affirmation juridique des droits collectifs français et pour une révision du pacte mythique entre les deux peuples fondateurs du Canada.

Le premier appui officiel accordé à la notion de droits collectifs provint de la Commission d'enquête sur le bilinguisme et le biculturalisme au milieu des années 60. Son rapport proposa que les francophones hors-Québec reçoivent toute la gamme des services gouvernementaux dans leur langue, et qu'ils aient la possibilité de travailler en français dans des unités spéciales créées à l'intérieur de la Fonction publique fédérale. La Commission reconnut aussi que la notion de droits collectifs pourrait fort bien englober au Québec la langue de travail dans l'industrie et dans le monde des affaires, ainsi que la langue d'usage dans le commerce. Ces principes furent renforcés quelques années plus tard par le rapport d'une Commission d'enquête provinciale sur la situation de la langue française. La Commission Gendron, comme on la nommait, était réticente à proposer des mesures coercitives pour imposer le français, préférant s'en tenir à des mesures incitatives. Mais les demandes pressantes formulées par divers groupements au cours de ses audiences publiques, ainsi que sa reconnaissance inconditionnelle des droits collectifs, inspirèrent la Loi 22 en 1974, et la Loi 101, en 1977.

La longue évolution du droit international favorisa également la reconnaissance des droits collectifs. Après la Première Guerre mondiale, lors du démembrement de l'empire austro-hongrois, les nouvelles frontières européennes entraînèrent l'apparition de nombreuses minorités ethniques au sein des nouveaux États nationaux. On tenta de leur assurer une certaine protection au moyen de traités qui, malgré leur échec relatif, ont tout de même contribué à répandre la notion de droits minoritaires et collectifs. L'Organisation des Nations unies, à ses débuts, évita cette question épineuse; sa déclaration des droits de l'homme, promulguée en 1948, ne se préoccupait que de droits individuels. Cependant, le Pacte international relatif aux droits économiques, sociaux et culturels, proclamé en 1966, reconnaissait le principe des droits collectifs, allant jusqu'à celui de l'autodétermination des peuples. La ratification du pacte coïncidait avec l'agitation croissante menée par de nombreux groupes ethniques tels les Basques, les Bretons, les Écossais, les Gallois, les Irlandais catholiques d'Ulster, les Français du Jura, et d'autres en Afrique et en Asie.

L'évolution la plus intéressante à cet égard fut celle des États-Unis. La société américaine a toujours eu la réputation d'insister auprès des immigrants pour qu'ils rejettent leur culture d'origine et s'intègrent le plus rapidement possible au milieu majoritaire anglo-saxon. On parle du *melting pot* américain, par opposition à la soi-disant mosaïque canadienne qui passe pour être plus ouverte et plus accueillante. Cependant, ce jugement ne concorde pas avec les faits.

Le sociologue canadien Wallace Clement, dans son livre *Continental Corporate Power*, fait remarquer que les immigrants aux États-Unis parviennent plus rapidement à se hisser au sommet de l'échelle sociale que les immigrants au Canada, et qu'en plus ils réussissent mieux à conserver leur culture originale. Un Canadien d'origine autre qu'anglo-saxonne explique dans ce livre comment il s'est résolu à quitter le Canada pour les États-Unis:

> « Il me semblait que les États-Unis possédaient une société plus fluide, où il était plus facile d'améliorer sa propre situation économique et sociale, que ne l'était le Canada à la même époque. Les Canadiens, à l'instar des Britanniques, attachaient encore beaucoup d'importance aux questions de classe, de naissance et de race. C'étaient là des préjugés dont la société américaine me semblait libre et qui pouvaient constituer des handicaps sérieux pour un jeune

homme ambitieux. J'en conclus donc que ma carrière au Canada serait entravée par le fait de pas être Britannique de naissance, d'origine ou de nom[7]. »

Au début des années 60, aux États-Unis, il y avait suffisamment de personnes d'origine autre qu'anglo-saxonne pour modifier le caractère traditionnel de la culturel anglo-protestante. L'influence de ces personnes s'accrût davantage avec la montée du nationalisme noir. Le mouvement *Black Power* et son slogan *Black is Beautiful* révélèrent une volonté générale chez plusieurs groupes ethniques de résister à l'assimilation ou à l'intégration complète, et de promouvoir une identité collective distincte. Ce que le militantisme de ces groupes cherchait à réaliser au sein de la société américaine était un pluralisme plus accueillant et l'acceptation d'une plus grande diversité socio-économique.

En 1964, ces revendications reçurent une sanction législative avec le *Civil Rights Act,* une loi stipulant qu'aucun groupe minoritaire ne peut être forcé d'abandonner son identité culturelle afin de participer à la société américaine. Cette loi a rendu possible une défense efficace des droits des économiquement faibles grâce à des programmes de redressement de griefs collectifs auxquels doit se soumettre toute institution ou toute entreprise recevant des fonds des autorités fédérales, ou ayant des relations contractuelles avec elles. Conséquemment, les réseaux d'amité et de relations caractéristiques de la société anglo-protestante perdent de leur influence, et l'ascension accélérée des groupes minoritaires est en train de provoquer une véritable révolution culturelle en ce pays.

Même le pluralisme linguistique progresse. La loi fédérale exige que les différents documents électoraux et référendaires dans les différents États soient disponi-

7. Wallace Clement, *Continental Corporate Power,* McClelland and Stewart, Toronto, 1977, p. 257 (traduction des auteurs).

bles dans la langue de groupes minoritaires. L'administration fédérale exige de façon de plus en plus énergique que les différents services sociaux et médicaux financés à même les fonds publics soient sensibles aux problèmes linguistiques d'une partie de la population. Cette nouvelle sensibilité à la question du pluralisme linguistique s'est manifestée d'une manière surprenante durant l'été de 1979. Une cour fédérale dans l'État du Michigan décréta que des enfants noirs de Ann Arbor avaient été placés dans une situation désavantageuse parce que la commission scolaire locale ne leur avait pas fourni l'enseignement en *Black English,* le dialecte des Noirs américains.

L'irruption du nationalisme noir aux États-Unis et l'introduction de mesures législatives et administratives pour garantir l'exercice des droits collectifs ont précédé de quelques années la montée de la fièvre nationaliste au Québec. Les Québécois de langue française purent observer que les Noirs se révoltaient contre les conditions économiques qui leur étaient faites, qu'ils réussissaient à se faire entendre, et qu'enfin leur sort s'améliorait visiblement et rapidement. L'exemple américain stimula inconsciemment le désir de mettre fin à l'emprise de la communauté anglaise sur l'économie de la province.

Cependant, les francophones manifestèrent une certaine hésitation à accepter une vue d'eux-mêmes les dépeignant comme les « Nègres blancs d'Amérique ». Avant de présenter la Loi 101, le ministre d'État au développement culturel, Camille Laurin, et ses conseillers se penchèrent sur la législation et les programmes américains dans le but de les adapter à la situation québécoise. L'imposition de contingentements linguistiques, et même ethniques, aux entreprises aurait pu être l'instrument privilégié pour améliorer la participation française à la gestion de l'économie. Mais on laissa tomber cette stratégie en faveur de la francisation des entreprises et de l'accès limité à l'école anglaise. Ce que le gouvernement visait n'était pas l'exercice d'un droit, mais la prise du pouvoir économique. En d'autres termes, on voulait que le Québec français reprenne à son propre compte le pouvoir détenu par la communauté anglaise.

Depuis une vingtaine d'années, il existe en Amérique du Nord une forte tendance à remettre en question l'organisation de l'industrie et de l'économie en général. Les grandes multinationales se voient reprocher leur taille, leur refus de rendre des comptes à qui que ce soit, le détournement des ressources collectives à leurs propres fins, ainsi que leur propension à réduire toutes les sociétés où elles s'implantent à un dénominateur commun culturel. En réaction, les individus manifestent une tendance de plus en plus forte à se définir comme membres de groupes, car la bureaucratisation de la société, autant par l'entreprise privée que par l'État, donne beaucoup moins prise à l'exercice de droits individuels. On voit donc se constituer une multitude de groupements disparates, allant de simples regroupements de locataires à des vastes mouvements pour combattre l'énergie nucléaire, et comprenant toute une gamme d'associations ethniques et culturelles, qui proposent tous que la société soit réaménagée de façon à mieux satisfaire aux intérêts de groupes et de collectivités.

Les élites anglophones de Montréal sont demeurées insensibles à ces courants qui s'imposaient lentement aux États-Unis et même dans le reste du Canada. Plus que d'autres, la communauté anglaise de Montréal est restée attachée à des formes traditionnelles d'organisation sociale et économique. Cela s'explique par le fait que la majorité de la main-d'œuvre anglophone se retrouve dans la grande entreprise à Montréal, et qu'elle n'a pas fait l'expérience d'une très grande diversité professionnelle, culturelle ou idéologique. Au lieu de situer les vues exprimées par certains éléments de la population française dans un contexte nord-américain, la communauté anglaise a tendance à considérer le nationalisme comme un mouvement que l'on peut contrer à coups d'arguments économiques. Ce sont ces œillères qui l'ont empêchée de s'adapter aux changements qui se produisaient autour d'elle, et à se forger un nouveau rôle dans un Québec majoritairement français.

À première vue, la société française du Québec donne l'impression d'être mieux en accord avec les grands courants contemporains. Plutôt que de s'en tenir aux sciences purement économiques, l'administration provinciale est relativement plus avancée que les autres gouvernements d'Amérique du Nord dans l'utilisation des sciences politiques et de la sociologie comme instruments d'analyse. En outre, la population est plus réceptive qu'ailleurs à une organisation de la société où des considérations autres qu'économiques entrent en ligne de compte.

Or, pendant que la société française passe d'un statut minoritaire au Canada à un statut majoritaire au Québec, certaines questions se posent sur son évolution à venir. Elle peut suivre le modèle pluraliste américain avec son engagement à protéger les droits minoritaires. Ou elle peut suivre le modèle canadien traditionnel, mais à la différence que le français se substituera à l'anglais comme langue de domination et encadrera l'exercice de droits qui ne seront qu'individuels.

Tout indique que la défense des droits du français au Québec n'est que le prélude à l'imposition de la langue et de la culture françaises à tous les citoyens du Québec. La stratégie choisie pour la Loi 101 l'indique très clairement. Cette loi, à la manière de l'Acte de l'Amérique britannique du Nord, ne se préoccupe que des droits majoritaires, et elle n'offre aucune protection juridique à l'expression de cultures minoritaires. Cette omission est particulièrement remarquable dans le cas de la minorité anglophone qui représente environ vingt pour cent de la population du Québec. Elle n'offre aucune protection non plus aux droits collectifs des Amérindiens et des Inuit.

Dans le préambule de sa version originale, qui était la Loi 1, on définissait un Québécois comme étant simplement un francophone. Cette vue se retrouve dans la politique du gouvernement du Parti québécois qui ne manifeste que peu d'intérêt pour les droits collectifs français à travers le Canada. Sa préférence va nettement à l'affirmation d'unilinguismes anglais et français, comme c'est le cas des autres gouvernements provinciaux, à l'exception du Nouveau-Brunswick.

CHAPITRE IV

Le conflit linguistique

Depuis une douzaine d'années, les conflits linguistiques sont au centre de l'actualité au Québec, et ils ont contribué à polariser l'opinion à un degré inégalé depuis le début du XIXe siècle. La mémoire collective retient les propos du président du Canadien National, Donald Gordon, sur l'incompatibilité de la mentalité française et de la vie économique et n'oublie pas les durs affrontements de la crise scolaire de Saint-Léonard ni les manifestations en faveur de la transformation de l'Université McGill en établissement français. Et il reste encore à la société québécoise à composer avec des mesures comme la loi réglementant l'usage des langues et celle prévoyant l'unification du système scolaire sur l'île de Montréal.

Quoique les affrontements linguistiques n'offrent rien de neuf au Québec, le fait qu'ils soient maintenant au centre des tensions entre Anglais et Français est lui-même sans précédent. Auparavant, les principales divergences étaient d'ordre social et économique, plutôt que linguistique. Les deux groupes coexistaient sur le même territoire, chacun avec sa vocation collective et son domaine privilégié, et avec son système idéologique particulier. Ce n'est qu'après 1960, alors que la population française avait complètement absorbé les valeurs de la société industrielle et accepté son caractère urbain, que la langue devint le point principal de différentiation entre les deux groupes, et, par ce fait même, le principal terrain d'affrontement.

Pendant les cent cinquante ans qui suivirent la Conquête, les décrets et les lois sur la langue n'affectèrent que les parlements et les tribunaux. La première indication que l'on pourrait toucher à d'autres domaines que ceux-là apparut en 1910, alors que le Québec adopta une loi obligeant les entreprises de transports et de communications à offrir à leurs clients qui le désiraient des services en français. Mais ce n'est qu'en 1969, avec la Loi fédérale sur les langues officielles, que l'on fait montre d'une préoccupation toute nouvelle: celle de redresser les disparités socio-économiques entre Anglais et Français.

Singulièrement, c'est durant la période qui suivit immédiatement la Conquête, que la question des langues prêta le moins à controverse. Le premier gouverneur, James Murray, administrait en parfaite intelligence avec les seigneurs, le clergé et les habitants. Il considérait que la Proclamation royale de 1763, qui abrogeait l'usage de la langue et du droit coutumier français, était irréaliste et contraire aux intérêts de la politique impériale. Plus favorables au peuplement qu'au commerce, Murray, Carleton et autres usèrent de leur influence en faveur du rétablissement officiel des droits français, ce qui se réalisa avec l'Acte de Québec de 1774. Comme le note l'historien Émile Gosselin, langue et culture ne constituaient pas des problèmes politiques à l'époque:

> « Les autorités britanniques firent plus qu'utiliser le français dans leurs rapports avec leurs nouveaux sujets. Elles employaient également la langue française comme leur propre langue de travail et pour leur correspondance. Rien ne satisfaisait plus la fierté britannique que de faire montre d'une connaissance du français au moins égale à celle que l'on retrouvait chez les personnes les mieux cultivées du Canada français[1]. »

Après 1780, on assista à une augmentation soudaine des tensions ethniques et linguistiques. Les autorités durent reconnaître d'abord que le Canada ne serait jamais une véritable colonie de peuplement, et que son avenir devait reposer sur le commerce. C'est donc dire que les gouverneurs durent reconnaître la primauté de la société commerciale anglaise sur la société précapitaliste française, et favoriser la réforme du système juridique et de la tenure du sol. Mais, si quelque compromis satisfaisant aux deux parties et à l'esprit du temps eût pu être réalisé, cette possibilité fut complètement écartée par l'arrivée en masse de réfugiés politiques que la Révolution américaine avait refoulés vers le Canada. Ces Loyalistes, comme on les appelait alors, commencèrent à affluer en 1780, et leur arrivée contribua à envenimer les relations entre Anglais et Français. Les Loyalistes avaient une longue tradition antifrançaise qui résultait de plus de un siècle d'escarmouches de frontières avec la Nouvelle-France et de massacres perpétrés par l'intermédiaire de tribus indiennes.

L'historien américain Mason Wade dans son ouvrage sur les Canadiens français décrit l'influence des Loyalistes de la façon suivante:

---

1. Émile Gosselin, « L'Administration publique dans un pays bilingue et biculturel », *Administration publique du Canada, Perspective historique*, 1963, VI, p. 411.

« L'attitude tolérante que l'on manifestait à l'égard des Canadiens français fut remplacée après 1793 par une peur de tout ce qui était français, soit du continent européen ou du Canada. Alors que la Grande-Bretagne, au cours des vingt prochaines années, dut lutter pour sa survivance contre la France révolutionnaire, républicaine et impériale, des tensions ethniques inconnues jusque-là firent surface et laissèrent des traces durables dans l'esprit canadien français...

« La responsabilité de ce nouvel état de choses reposait principalement sur les Loyalistes que l'on avait dédommagés de leurs pertes aux États-Unis au moyen de postes au Canada. Leur crainte de tout ce qui était français et papiste, et les amers soupçons qu'ils firent porter sur les Français qui complotaient avec ces Américains républicains qui les avaient dépossédés de leurs demeures et de leurs biens, attinrent un niveau proche de l'hystérie. Ils avancèrent leurs nouvelles carrières et leurs intérêts en dénonçant des « émissaires français » partout et en voyant des « complots français » dans les efforts que faisaient les Canadiens français pour mettre en pratique le *self government* que Pitt et Grenville avaient accordé (avec l'Acte constitutionnel de 1791)[2]. »

Devant composer avec une communauté anglophone devenue beaucoup plus ethnocentrique qu'auparavant, l'administration coloniale se détacha peu à peu des élites françaises pour accorder son appui aux marchands anglais. À ce moment, les sentiments linguistiques, ethniques et idéologies se resserrèrent à un point tel qu'Anglais et Français formèrent deux blocs solides se faisant face l'un l'autre.

Dans les efforts qu'ils déployèrent pour faire accepter leur culture économique, les marchands anglais tentèrent d'imposer l'usage de leur langue dans les affaires publiques. Cependant, il est important de noter à cet égard que l'utilisation d'une langue ou de l'autre ne constituait

---

2. Mason Wade, *The French Canadians, 1760-1967*, Macmillan, Toronto, 1968, p. 93 (traduction des auteurs).

pas un symbole du pouvoir d'un groupe ethnique ou de l'autre, comme cela semble être le cas aujourd'hui.

La première escarmouche sur une question linguistique eut lieu après l'Acte constitutionnel de 1791, alors qu'il fallait décider qui serait le président de la nouvelle Assemblée, et quel serait le statut de l'anglais et du français. L'Acte constitutionnel ne faisait aucun état de la langue officielle; mais, jusqu'à cette date, le français avait été la langue principale de l'administration et du commerce dans la colonie.

Toute cette question donna lieu à un débat passionné qui dura trois jours entre les porte-parole des marchands anglais et ceux des seigneurs, des membres des professions libérales et des habitants. Le leader des marchands anglais, John Richardson, déclara que « faire des lois liant des sujets britanniques dans une langue autre que la leur est illégal, sans précédent, politiquement malhabile, et tendant à subvertir notre union et notre dépendance vis-à-vis de la mère patrie...[3] », et il proposa qu'on ne légifère qu'en langue anglaise. Chartier de Lotbinière, qui avait défendu les droits du français devant le Parlement impérial lors de l'adoption de l'Acte de Québec en 1774, dirigeait les débats du côté français. Il expliqua que les débats de la Chambre des Communes à Londres avaient révélé les raisons véritables justifiant la décision de scinder le pays en Haut et Bas-Canada: « C'est pour que les Canadiens aient le droit de faire leurs lois dans leur langue et suivant leurs usages, leurs préjugés et la situation actuelle de leur pays[4]. » Éventuellement, grâce à la majorité française, un statut officiel fut accordé aux deux langues, et on élut un président de langue française.

---

3. Claude-Armand Sheppard, *The Law of Languages in Canada*, Studies of the Royal Commission of Bilingualism and Biculturalism, No 10, Government of Canada, 1971, p. 48 (traduction des auteurs).

4. Thomas Chapais, *Cours d'Histoire du Canada*, Éditions Bernard Valiquette, Montréal, 1919, volume II, p. 69.

Dix ans plus tard, en 1801, la question de la langue d'enseignement fit son apparition pour la première fois. Par l'entremise de l'évêque anglican de Québec, Jacob Mountain, les marchands anglais avaient réussi à convaincre le Conseil exécutif de l'opportunité de créer un réseau d'écoles anglaises avec l'aide de l'État. Jusqu'alors, les écoles françaises étaient entre les mains du clergé catholique, tandis que les écoles anglaises étaient administrées par l'Église anglicane et par des hommes d'affaires. Aucun des deux réseaux ne recevait d'aide publique. La plupart des écoles se trouvant dans les villes, les habitants français demeuraient analphabètes pour la plupart. Le but recherché par la création d'un réseau d'écoles publiques anglaises était de faciliter l'assimilation de la population française. « Dans quelques années une nouvelle race d'hommes... se trouvera dans ce pays... et on possédera *le moyen le plus sûr et le plus pacifique de stimuler l'esprit de travail,* d'affermir la loyauté du peuple avec l'introduction graduelle d'idées, de coutumes, et de sentiments anglais[5]... » déclara monseigneur Mountain.

Conséquemment, le discours du Trône prononcé par le gouverneur Robert Shore Milnes proposa à l'Assemblée de porter son attention sur ce projet. Milnes fut le premier gouverneur de la colonie à être hostile aux Français et à se ranger ouvertement du côté des marchands et des Loyalistes dans leurs tentatives d'assimiler la population française. Comme il fallait s'y attendre, le clergé catholique s'opposa à une telle mesure qui aurait fatalement encouragé les conversions à l'Église anglicane et au protestantisme. L'Assemblée adopta le projet de loi tout en y adjoignant des amendements qui en limitèrent sérieusement la portée. Il fallait obtenir le consentement de la majorité de la population d'une paroisse

---

5. Mason Wade, *The French Canadians, 1760-1967*, p. 103 (traduction et souligné des auteurs).

avant qu'une de ces écoles puisse y être établie. Un autre amendement garantissait l'indépendance de l'Église catholique qui assurait le maintien des écoles françaises. Pour ces raisons, la loi créant ces Institutions pour l'avancement des sciences, comme on appelait alors ce réseau projeté, demeura lettre morte. Les concessions de terres qui devaient en assurer le financement ne furent jamais sollicitées, sauf dans certaines paroisses et certains cantons majoritairement anglais.

Sans y être contraints, de nombreux parents français envoyaient déjà leurs enfants aux écoles anglaises à Montréal, à Québec et à Trois-Rivières. Lord Durham nota dans son rapport sur la situation au Bas-Canada qu'il y avait dix fois plus d'enfants français inscrits à l'école anglaise, que d'enfants anglais qui apprenaient le français. « Quels que soient leurs efforts, il est évident que le processus d'assimilation aux usages anglais est déjà commencé. La langue anglaise gagne du terrain comme le fera naturellement la langue des riches et des employeurs[6] », affirma Lord Durham. Cette tendance générale a persisté jusqu'à récemment, alors que dix pour cent des enfants français fréquentent l'école anglaise et que le nombre d'enfants anglais dans les écoles françaises était négligeable. Ce n'est qu'après 1960, au moment où l'on commençait à se préoccuper de l'avenir démographique du Québec, que ce problème particulier a surgi soudainement dans la conscience politique.

Avec l'Acte d'Union de 1840, la question linguistique devint plus litigieuse que jamais. La politique officielle ne fit confiance qu'à une Assemblée dominée par des représentants anglais, et où l'anglais était la seule langue admissible. Le français perdit donc le caractère officiel dont il jouissait sous le régime précédent. Durant les deux premières années de l'Assemblée des Provinces-

---

6. *Le Rapport Durham*, traduction Denis Bertrand et Albert Desbiens, Les Éditions Sainte-Marie, Montréal, 1969, p. 124.

Unies, le gouverneur Lord Sydenham montra son manque de sympathie envers les Canadiens français en n'en nommant aucun au Conseil exécutif. Mais Sydenham mourut avant que l'affrontement entre Anglais et Français ne prenne des proportions trop graves. Avec son successeur, Charles Bagot, la population française put jouir d'un nombre de conseillers correspondant à son importance numérique, mais il devait s'écouler encore quelque temps avant que le français ne retrouve son statut officiel.

Durant le célèbre débat de 1842, au cours duquel se décida la question du double ministère dirigé par Robert Baldwin et Louis-Hippolyte Lafontaine, ce dernier se leva en Chambre et se mit à faire son discours en français. Lorsque l'un des ministres originaires du Haut-Canada lui reprocha cet accroc au règlement de l'Assemblée, Lafontaine répondit:

« On me demande de prononcer dans une langue autre que ma langue maternelle le premier discours que j'aie à faire dans cette Chambre. Je me défie de mes forces à parler la langue anglaise. Mais je dois informer les honorables membres que, quand même la connaissance de la langue anglaise me serait aussi familière que celle de la langue française, je n'en ferais pas moins mon premier discours dans la langue de mes compatriotes canadiens-français, ne fût-ce que pour protester contre cette cruelle injustice de l'Acte d'Union qui tend à proscrire la langue maternelle d'une moitié de la population du Canada. Je le dois à mes compatriotes, je le dois à moi-même[7]. »

Après ce discours, le français commença à être utilisé fréquemment à l'Assemblée et au Conseil exécutif, mais ce n'est qu'en 1848 qu'il fut officiellement autorisé.

Avec l'alliance Baldwin-Lafontaine et avec l'application du principe de la double majorité à l'Assemblée, Anglais et Français acceptèrent l'idée d'association et de compromis. Mais au Québec la juxtaposition de deux

---

7. Thomas Chapais, *Cours d'Histoire du Canada*, volume V, p. 89.

cultures prit un aspect particulier. Au lieu de créer une véritable association sur le plan social, Anglais et Français acceptèrent simplement le fait que deux idéologies différentes, l'une identifiée à l'agriculture et à la paroisse, l'autre au commerce et aux affaires, pourraient coexister sans se nuire et sans même se toucher.

Mais les Anglais du Québec n'en continuèrent pas moins à croire que leur société était la seule légitime, la seule qui avait en quelque sorte un véritable sens historique. Jusqu'à la fin du XIXe siècle, Montréal fut une ville à majorité anglaise vers laquelle convergeait le commerce de tout le pays. Les hommes d'affaires de Montréal, dans les années qui suivirent la Confédération, étaient les héritiers des marchands qui avaient poussé la traite des fourrures jusqu'aux Territoires du Nord-Ouest et jusqu'à la Côte du Pacifique. Ces hommes qui maintenant dirigeaient une grande variété d'entreprises, des banques, des sociétés de navigation, des chemins de fer, des exploitations de bois, portaient en eux la conviction qu'ils faisaient partie d'un vaste continent anglais, capitaliste et industriel, alors que les Français du Québec étaient marginaux et sans avenir économique, politique, ou même culturel.

Comme par le passé, les hommes d'affaires anglais acceptaient la culture et la société françaises en autant qu'elles n'entraient pas en conflit avec le développement économique, c'est-à-dire avec leur propre notion du progrès. Ainsi, à la fin du XIXe et au début du XXe siècle, alors que des usines s'établirent dans différentes petites villes du Québec pour tirer parti d'une main-d'œuvre docile et peu exigeante, on s'attendait que les ouvriers travaillent le dimanche et acceptent que l'anglais soit la langue de travail et de communication. C'étaient des attitudes et des pratiques qui choquaient profondément le sens des valeurs de la société française, et contribuaient à accentuer le fossé idéologique qui la séparait du monde capitaliste et industriel.

Les Anglais du Canada partageaient cette vue assimilatrice qu'acquirent les Américains après que des vagues d'immigrants eurent déferlé sur leur pays. La culture dominante était définie comme anglo-protestante. On s'attendait à ce que tous ceux qui n'y étaient pas nés s'y intègrent, ou à tout le moins s'y conforment, qu'ils soient Français, Italiens, Polonais, Ukrainiens ou autres. Cette affirmation du pouvoir assimilateur de la culture anglaise, qui au Canada remontait à la Conquête, fut notée par Durham: « La langue, les lois et le caractère du continent nord-américain sont anglais. Toute autre race que la race anglaise (j'applique ce mot à tous ceux qui parlent la langue anglaise) y apparaît en état d'infériorité[8]. »

Sous le régime de l'Union, il existait un genre de biculturalisme basé sur une représentation plus ou moins égale au sein du cabinet, et sur un certain partage du patronage et des largesses du gouvernement. Mais il n'y eut jamais de véritable engagement à établir un État bilingue et biculturel. En outre, les conséquences de la théorie des deux nations et des deux peuples fondateurs furent acceptées par les élites anglophones en autant qu'elles perpétuaient la notion du partage des rôles et des domaines collectifs. Dans ce contexte, les pressions assimilatrices exercées sur la population française étaient considérées de bonne guerre et n'infirmaient en rien la définition du pacte confédératif que l'on avait à l'esprit.

À venir jusqu'aux gouvernements de Lester Pearson et de Pierre Trudeau, les membres du Parlement fédéral et les fonctionnaires opposèrent une vive résistance à toute concession qui irait au-delà des exigences minimales de l'Acte de l'Amérique britannique du Nord. Cette résistance se manifesta en de nombreuses occasions et de plusieurs façons. Un débat prophétique eut lieu en 1927 à la Chambre des Communes à l'occasion d'un bill privé proposant un traitement préférentiel à toute personne

---

8. *Le Rapport Durham*, p. 121.

bilingue postulant un emploi dans la Fonction publique. Horatio Hocken, ancien maire de Toronto, exprima un point de vue fort courant à l'époque:

> « Doit-il sauter aux yeux de quiconque comprend l'anglais que nous ne sommes pas dans un pays bilingue... Nous prétendons que cette proposition constitue une attaque contre la population de langue anglaise du Canada, une attaque contre les droits de tous les jeunes gens, hommes et femmes, qui parlent cette langue, car on les oblige soit à apprendre le français ou à renoncer à tout emploi du service civil... Ontario et les autres provinces ne provoquent en rien leur province-sœur, Québec. L'agression contre les autres provinces vient de certains chefs du Québec qui ne veulent pas respecter les conditions arrêtées par le pacte fédératif[9]. »

Henri Bourassa, fondateur du journal *Le Devoir* et député fédéral à l'époque, exprima dans sa réplique des idées que devaient reprendre plus tard Lester Pearson et Pierre Trudeau dans leurs tentatives d'assurer un minimum de bilinguisme dans la Fonction publique. Les paroles de Bourassa contiennent un curieux mélange d'amertume et d'espoir:

> « La province de Québec n'est pas une province française. La survivance de l'esprit provincial dans cette province provient précisément de cet état d'esprit d'un certain nombre d'Anglo-Canadiens qui regardent Québec comme une région à part dans la Confédération, quelque chose comme les réserves indiennes allouées aux débris des races aborigènes. La province de Québec est l'une des neuf provinces canadiennes. La vaste majorité de ses habitants parlent français, mais ils accordent à la minorité anglaise le libre usage de sa langue et dans les administrations municipale et provinciale, dont nous avons l'entière maîtrise, ils leur accordent ces facilités que nous réclamons dans les affaires fédérales non seule-

---

9. *Horatio Hocken*, Débats, Chambres des Communes du Canada, Session 1926-27, vol. I, p. 821.

ment à titre de droit — je ne voudrais jamais poser la question sur ce fondement étroit — mais au nom du sens commune et du véritable esprit canadien, afin de répandre dans chaque province le même esprit de civisme canadien qui existe dans Québec et devrait exister partout ailleurs au pays[10]. »

Mais les efforts déployés par Bourassa furent vains. Même si le Canada élisait, à l'occasion, des premiers ministres de langue française, comme Wilfrid Laurier et Louis Saint-Laurent, ceux-ci n'osèrent pas contester l'idéologie prédominante anglaise et durent accepter la subordination des droits minoritaires au bon vouloir de la majorité. La langue française était considérée comme tellement marginale et peu importante au gouvernement fédéral, qu'il fallait mener des campagnes politiques très vigoureuses pour obtenir le bilinguisme pour les timbres en 1927, pour la monnaie en 1936, et pour les chèques fédéraux en 1962[11]. L'interprétation simultanée permettant aux députés francophones de s'exprimer dans leur langue ne fit son apparition qu'en 1958. Jusque vers 1970, la majorité des membres du cabinet fédéral étaient unilingues anglais, ce qui pratiquement éliminait le français lors des réunions du cabinet.

La population française du Québec fut profondément affectée par ce qu'elle considérait comme une trahison, de la part de l'élément anglais, de l'esprit du pacte confédératif. L'unilinguisme de fait au niveau fédéral, l'abrogation des droits du français au Manitoba en 1890, dans les Territoires du Nord-Ouest en 1892, et en Ontario en 1912, contribuèrent à isoler le français dans sa réserve du Québec. La population française au Québec n'eut d'autre recours que d'accentuer davantage ce qui la dif-

---

10. *Henri Bourassa*, Débats, Chambre des Communes du Canada, Session 1926-27, vol. I, p. 823.

11. Guy Bouthillier et Jean Meynaud, *Le Choc des langues au Québec, 1760-1960*, Les Presses de l'Université du Québec, Montréal, 1972, p. 34.

férenciait du reste du continent nord-américain, c'est-à-dire cette identité collective que l'on désignait par cette trinité: « la foi, la langue, la race ».

Jusque vers 1960, les débats politiques au Québec tournaient autour de cette question, à savoir s'il était prudent pour la société française de s'ouvrir à un monde extérieur si menaçant et hostile. Mais la Révolution tranquille démontra que certaines valeurs désignées sous le vocable de la « foi » avaient perdu de leur pertinence. La paroisse rurale et l'agriculture, dont l'encadrement avait été assuré par le clergé, et dont la prospérité avait été au centre des préoccupations officielles, étaient de moins en moins viables comme noyau de la vie française dans la période de l'après-guerre, alors que l'industrialisation et l'urbanisation progressaient très rapidement. La croissance d'un État bureaucratique à Québec et la sécularisation des différentes institutions sociales éliminèrent la foi comme l'une des principales assises de la vie française au Québec. La propagation d'idées œcuméniques sous le règne de Jean XXIII favorisa une évolution rapide de la situation à cet égard, si bien que le clergé québécois ne s'opposa nullement aux changements qui étaient en train de s'opérer. Par conséquent, la notion de foi religieuse devint plus individualiste, plus protestante si l'on peut dire, et moins apte à servir de point de ralliement collectif.

Simultanément, la chute soudaine et dramatique du taux de natalité contribua à modifier l'idée que l'on se faisait de la « race », à tel point que le mot est tombé en désuétude pour désigner la collectivité française du Québec. La nécessité d'améliorer l'attraction assimilatrice du français mit un terme à l'exclusivisme et à l'isolationnisme que l'on pratiquait sous le couvert de ces deux notions de foi et de race. C'est ainsi qu'en 1968 les autorités provinciales mirent sur pied un ministère de l'Immigration chargé de recruter des immigrants et de faciliter leur intégration.

La langue restait donc seule comme véhicule de l'identité collective et comme symbole de la société française du Québec. Après que la mystique de la terre eut sombré dans l'histoire, et que celle de la race eut été désavouée par tous, celle de la langue vint à occuper tout le terrain.

Le long apprentissage que la population française fit des valeurs de la société industrielle facilita l'apparition, parmi les élites françaises, d'une nouvelle pensée économique qui les encourageait à envahir le domaine qui avait été traditionnellement réservé aux Anglais, et que seuls quelques audacieux osaient pénétrer. Ce mouvement devint plus pressant à la suite de la réforme du système d'éducation, alors qu'apparurent sur le marché du travail une foule de nouveaux diplômés universitaires aptes à la gestion et à la planification économique. Ils affluèrent d'abord vers la Fonction publique provinciale, et, en 1970, ils commencèrent à déborder vers le secteur des affaires, qui jusqu'à ce moment était demeuré majoritairement anglais. C'est alors que la langue, devenue le principal point de différenciation entre les deux communautés linguistiques de Montréal, devint aussi le principal point de rivalité et de mésentente entre les deux. Du jour au lendemain la langue d'usage dans les grandes sociétés nationales et multinationales à Montréal devint objet de controverse et de litige.

La crise scolaire de Saint-Léonard, en 1968 et 1969, déclencha un affrontement linguistique qui est loin d'être résolu. Selon toute apparence, ce conflit portait sur la prédilection des immigrants italiens pour l'école anglaise, alors qu'on aurait voulu qu'ils choisissent l'école française pour leurs enfants. Mais en réalité, la communauté italienne servait de bouc émissaire. C'est vers elle que l'on reportait une hostilité qui s'adressait principalement aux hommes d'affaires anglophones, à cause du pouvoir incontestable qu'ils exerçaient sur l'ensemble de la société québécoise. La crise éveilla les vieux antagonismes datant du début du XIXᵉ siècle. Soucieux de ne pas gâter davantage le climat économique passablement sombre, le gouvernement provincial tenta de régulariser la situation en confirmant par la Loi 63 le droit des parents de choisir la langue d'enseignement au nom de leurs enfants. Ce geste que la population anglophone et allophone réclamait souleva l'opposition des enseignants et des intellectuels francophones, et entraîna la création de la Commission d'enquête sur la situation de la langue française et sur les droits linguistiques au Québec. Son rapport fut finalement publié en 1972 et servit d'inspiration à la Loi 22 du gouvernement du premier ministre Robert Bourassa, adoptée en 1974.

La question linguistique a ceci de particulier que toute discussion à ce sujet a presque automatiquement pour effet de stimuler les antagonismes et de provoquer des mesures de plus en plus rigides qui vont à l'encontre des accommodements antérieurs. C'est ainsi que l'opposition des anglophones et des Néo-Québécois à la Loi 22 stimula le nationalisme français, de sorte que deux ans plus tard, après l'élection du Parti québécois, une loi encore plus limitative des droits traditionnels fut adoptée. Les exigences et les résistances manifestées de part et d'autre démontrèrent que l'on approchait rapidement du cœur du débat: l'imposition du français comme langue de l'économie québécoise.

La langue est un sujet si controversé aujourd'hui qu'il est difficile d'imaginer qu'il ait pu en être autrement par le passé. Il est vrai que durant les deux derniers siècles, un nombre considérable d'écrivains se sont préoccupés de la situation du français: Arthur Buies, Jean-Paul Tardivel et Jean-Marc Léger, parmi d'autres. De nombreuses organisations ont fait de même: la Ligue des droits du français, l'Action nationale, la Société Saint-Jean-Baptiste et la Société du bon parler français. Mais la préservation du français, à venir jusqu'à récemment, visait surtout à maintenir le genre d'isolement culturel qui assurerait la sauvegarde de la foi en milieu nord-américain protestant. La langue n'était pas l'enjeu central et unique de la résistance française à l'assimilation. C'est pourquoi les mesures législatives visant à restreindre l'utilisation de l'anglais représentent un élément nouveau dans la façon dont on envisage la langue: elle est conçue maintenant comme un instrument collectif de communication utilisable dans tous les domaines, et surtout dans celui des affaires. C'est ainsi qu'en limitant l'affichage en anglais, en francisant autant que possible l'administration des entreprises, on attaque la communauté anglophone sur un point vital.

Jusqu'en 1970, il n'y eut que deux lois provinciales visant à promouvoir le statut de la langue française. La première, à laquelle il a déjà été fait allusion, fut proposée en 1910 par le député nationaliste Armand Lavergne. Son but était d'obliger les compagnies d'utilité publique à transiger avec leur clientèle dans les deux langues, et elle visait les compagnies de chemins de fer, de navigation, de télégraphe, de téléphone, de gaz et d'électricité. Cette loi avait d'abord été proposée à la Chambre des Communes à Ottawa en 1908 alors que Lavergne y siégeait. Mais le premier ministre, Sir Wilfrid Laurier, par crainte de se mettre ces compagnies à dos, ne voulut pas appuyer le projet de loi quoiqu'il fût d'accord avec son principe général. Une pétition comprenant 435 000 signatures recueillies par l'Association catholique de la jeunesse canadienne-française ne parvint pas à l'ébranler. Dégoûté, Lavergne quitta la politique fédérale pour se présenter à Québec où il proposa sa loi de nouveau. Il parvint à la faire adopter en 1911 dans sa forme originale, en dépit de nombreux amendements proposés par les compagnies visées, qui en auraient grandement atténué la portée[12].

---

12. Pour de plus amples détails, voir Guy Bouthillier et Jean Meynaud, *Le Choc des langues au Québec, 1760-1970*, p. 326.

En 1937, le premier ministre Maurice Duplessis proposa une loi sur la langue française intitulée « Loi relative à l'interprétation des lois de la province ». Elle donnait priorité au français dans l'interprétation des textes législatifs et de la réglementation provinciale. Il existait à ce moment un sentiment très répandu parmi les juristes, les hommes politiques et les intellectuels, et selon lequel tout le processus législatif à Québec était trop profondément influencé par la mentalité anglo-saxonne, et il était temps de passer à l'action pour préserver son esprit français autant que possible. Ce sentiment s'exprima de façon particulièrement vigoureuse à l'occasion d'un congrès sur la langue française au cours duquel une vingtaine de conférenciers dénoncèrent l'anglicisation graduelle du droit québécois. Quoiqu'elle fut adoptée par l'Assemblée législative, la loi continua à soulever une telle opposition parmi les hommes d'affaires, les avocats et les journaux de la communauté anglophone, que le premier ministre fut contraint l'année suivante de proposer une nouvelle loi abrogeant la première. Deux raisons principales furent invoquées pour expliquer cette volte-face. La première portait sur la constitutionnalité douteuse de cette loi et de toute tentative de donner priorité au texte français des lois. La seconde touchait à la justification même de la loi originale: la piètre qualité du français dans les textes législatifs le rendait inapte à servir de base à l'interprétation[13].

Ce n'est qu'un peu avant 1970 que les hommes politiques commencèrent à exprimer l'idée d'une approche systématique et concertée pour améliorer la situation de la langue française. Le premier à s'intéresser à cette possibilité fut le premier ministre Daniel Johnson qui déclara quelque temps avant sa mort en 1968: « Il faudrait peut-être penser à légiférer sur l'usage de la langue française,

---

13. Pour de plus amples détails, voir Guy Bouthillier et Jean Meynaud. *Le Choc des langues au Québec, 1760-1970*, pp. 563-66.

exactement comme les gouvernements le font pour les autres moyens de communication. » Ses préoccupations portaient vraisemblablement sur les guerres de clientèle qui semblaient s'amorcer dans le système scolaire, mais il n'eut guère le temps d'élaborer une politique linguistique. Il fut toutefois le premier à reconnaître l'importance croissante qu'assumaient les questions de langue au Québec.

Il ne fait aucun doute que la contestation et l'évolution de la société américaine vers le pluralisme a grandement stimulé l'expression du nationalisme linguistique au Québec et a sûrement poussé le gouvernement à faire des gestes auxquels il n'aurait pas pensé autrement. La Loi 22, que fit adopter le gouvernement Bourassa en 1974, fut précédée aux États-Unis de l'adoption de mesures de redressement progressif qui défendaient le droit au travail de groupes minoritaires victimes de discrimination, comme les Noirs, les Portoricains et les femmes.

Cependant, même si l'affirmation du fait français doit beaucoup à l'avènement du pluralisme ethnique et social aux États-Unis, l'aménagement intérieur de la société québécoise semble s'inspirer davantage des attitudes ethnocentriques du Canada anglais quant à la langue et à la culture. C'est ainsi que la Loi 101 reproduit la stratégie assimilatrice des anciennes élites anglophones plutôt que le nouveau pluralisme américain. Or, si le chauvinisme historique du Canada anglais est associé à la création et à la construction d'un pays, on peut supposer que le chauvinisme franco-québécois survivra jusqu'à ce que la collectivité française se sente culturellement forte et impose ses valeurs propres à l'ensemble de la société comprise à l'intérieur des frontières du Québec. Cependant, le pluralisme est devenu un aspect très important de la culture américaine. Son influence se fait déjà sentir au Canada anglais, y compris à Montréal. C'est donc dire que les politiques assimilatrices des autorités provinciales risquent fort d'être contestées par les différents groupes ethniques qui voudront faire reconnaître non seulement leurs propres valeurs, mais aussi les attentes qu'ils nourrissent en rapport avec l'économie nord-américaine.

CHAPITRE V

La médiation du Parti libéral fédéral

Un des aspects les plus inquiétants de la politique canadienne au cours de ces dernières années, a été la tendance des anglophones et des francophones à se retrouver majoritairement dans des partis opposés. Libéraux et conservateurs évoluent vers un type de représentation qui est à la fois linguistique et géographique. Il devient donc de plus en plus difficile de rallier une majorité parmi chacun des deux groupes afin de former un gouvernement représentatif de l'ensemble du pays. Les clivages actuels sapent peu à peu l'aptitude du gouvernement fédéral à gouverner le pays. Deux fois déjà, dans l'histoire du Canada, des conflits ethniques se sont manifestés de cette façon et ont entraîné des changements constitutionnels: durant la décennie de 1830 et durant celle qui précéda la Confédération.

Historiquement, ce fut le rôle de la communauté anglophone du Québec de rallier les divers éléments qui composaient le Canada et qui étaient souvent en rivalité les uns avec les autres, et de formuler des objectifs nationaux auxquels le plus grand nombre pouvait souscrire. Toutefois, l'affaiblissement du pouvoir économique de la communauté anglophone au Québec et la diminution de son influence politique ont eu comme conséquence de perturber l'équilibre traditionnel reposant sur une entente fonctionnelle entre les éléments anglais et français du Canada.

Le déplacement des centres de décisions économiques vers Toronto a privé le Québec de l'influence qu'il exerçait autrefois sur le reste du pays et qui se manifestait surtout par l'entremise de l'élite financière de Montréal. Cette migration était conforme aux grandes tendances nord-américaines qui poussaient les affaires et l'industrie à quitter la côte de l'Atlantique pour s'établir dans la région des Grands Lacs et à l'intérieur du continent. Deux autres facteurs ont joué défavorablement pour le Québec: la décadence des vieilles familles anglaises et écossaises qui avaient assuré la prospérité de Montréal au cours du XIXe siècle, ainsi que l'émergence du capitalisme bureaucratique des grandes sociétés multinationales d'origine américaine.

Alors que l'élite anglophone de Montréal perdait son ascendant sur le reste du Canada, elle perdait du même coup l'autorité nécessaire pour faire valoir auprès du gouvernement québécois et de ses électeurs les compromis et les accommodements devant assurer l'harmonie entre le Québec et le reste du pays. Il s'agit ici d'une élite financière et industrielle dont les aptitudes de gestionnaire étaient perçues par la majorité des Canadiens français comme étant essentielles au progrès de la province. Tant que dura cette perception, l'élite anglophone de Montréal put exercer une certaine influence médiatrice sur les rivalités ethniques qui devaient être constamment tempérées.

Le terrain sur lequel se discutaient les différents problèmes soulevés par les chefs politiques francophones, les hommes d'affaires anglophones, les représentants des gouvernements et des intérêts canadiens, était le Parti libéral. À la fin du siècle dernier, et sous la direction de sir Wilfrid Laurier, celui-ci avait assumé le rôle précédemment joué par le Parti conservateur. Mais les élections de mai 1979 ont démontré que le Parti libéral n'est plus capable de rallier les deux majorités, l'une française et l'autre anglaise, sur lesquelles il comptait pour conserver le pouvoir. Ses jours comme parti de l'unité nationale sont peut-être révolus.

Parmi toutes les institutions canadiennes, le Parti libéral possède des caractéristiques uniques. Il est pratiquement seul à avoir accepté dans son fonctionnement interne un certain partage du pouvoir entre ses éléments anglais et français. Son rôle historique a été celui d'un forum au sein duquel se réalisait l'arbitrage de toutes les revendications contradictoires provenant des différents secteurs de la société. Les compromis portant sur des questions économiques, culturelles ou autres, furent suffisamment réalistes et efficaces pour permettre au parti de se maintenir au pouvoir durant la plus grande partie du XXe siècle.

Ce partage du pouvoir n'existe certainement pas dans les autres partis nationaux. Il est certain que les conservateurs et les néo-démocrates, malgré une bonne volonté évidente, éprouveraient de sérieuses difficultés à accueillir dans leurs rangs un fort contingent de nouveaux élus du Québec. Leurs cadres seraient durement éprouvés par les tensions qui en résulteraient, ou encore par les pressions qui se feraient inévitablement sentir pour changer tel ou tel aspect de leur programme. Le Parti conservateur, même s'il est au pouvoir, est encore trop attaché à des intérêts régionaux et ses membres sont encore trop éloignés d'une pensée véritablement nationale pour qu'il puisse jouer, avant quelque temps, un rôle semblable à celui que jouait le Parti libéral dans le passé. Les conservateurs auraient beaucoup de difficultés à soutenir le genre de discussions que les libéraux menaient soit publiquement, soit à l'arrière-scène.

Le caractère unique du Parti libéral ressort davantage si on le compare à d'autres institutions canadiennes non politiques. Ainsi la Fonction publique fédérale est encore loin d'avoir réalisé, dans sa composition et dans son fonctionnement, le même partage du pouvoir entre Anglais et Français. La résistance à la présence française demeure particulièrement marquée dans les ministères à vocation économique, alors qu'un accommodement plus ou moins acceptable se réalise dans les ministères à vocation culturelle ou sociale. C'est donc dire que la division historique des tâches entre Anglais et Français se perpétue dans la Fonction publique du Canada.

C'est dans l'entreprise privée, et surtout dans les grandes sociétés nationales, que les possibilités d'entente sont le moins bonnes. Ce que l'on invoque le plus souvent à l'encontre des revendications linguistiques de la population de langue française est le caractère international de la langue anglaise et son rôle essentiel dans le monde des affaires. Même dans certaines sociétés dont l'État fédéral est le principal ou le seul actionnaire, il n'existe pas de véritable partage du pouvoir. L'exclusivisme anglais demeure un trait fondamental de l'organisation industrielle et commerciale au Canada.

Quant au monde syndical, il a une forte tendance à calquer les attitudes patronales sur la langue. Au cours des années 60, l'idée de contester, dans le cadre des négociations collectives, l'utilisation de l'anglais au travail apparaissait comme une manifestation extrême de l'esprit nationaliste. Les syndicats canadiens et internationaux ont été assez lents à desservir leurs membres en français. Ce n'est qu'à la suite des incursions de la

Confédération des syndicats nationaux dans leurs rangs qu'ils sont devenus plus sensibles à la question linguistique. Mais la division de plus en plus étroite des tâches dans l'industrie et le caractère bureaucratique de l'organisation syndicale constituent des entraves à un véritable partage du pouvoir.

Le caractère du Parti libéral et le rôle qu'il a joué pendant plus de un quart de siècle n'ont en réalité que très peu à voir avec sa doctrine politique. Ce qui importe est le fait qu'il a été le parti majoritaire au Canada, comme l'avait été précédemment le Parti conservateur sous John A. Macdonald. Pour demeurer au pouvoir, un parti doit tenir compte des forces centrifuges au Canada et, en même temps, faire surgir une volonté nationale à travers la très grande diversité des sentiments et des intérêts régionaux. Il doit rallier du même coup une proportion suffisante des membres des divers groupes sociaux: travailleurs, hommes d'affaires, agriculteurs, riches et pauvres, jeunes et vieux, et ainsi de suite. Il doit demeurer attentif à tous et leur fournir les moyens de se faire entendre.

Dans la conduite des affaires publiques, le Canada ressemble donc aux pays ou régimes à parti unique où le consensus essentiel à la gestion efficace est réalisé en dehors des institutions gouvernementales proprement dites, comme le parlement et le conseil des ministres. Ce consensus ressort plutôt de l'activité politique du parti lui-même, de son fonctionnement interne, de son ouverture d'esprit, de la qualité des gens qu'il parvient à recruter, de la nature des discussions qu'il peut susciter dans ses rangs, et enfin de son aptitude à rallier ses partisans dans l'exercice efficace du pouvoir.

Le rôle joué par le Parti libéral au cours du XXe siècle est en tous points conforme aux grandes tendances historiques qui se sont manifestées au Canada. L'élite financière et industrielle de Montréal agissait de manière à perpétuer le grand empire commercial qui s'étendait d'est en ouest, et sur lequel reposait la prospérité du pays tout entier. Cette élite anglophone avait tout intérêt à ce que cette fonction d'intégration économique et sociale assumée par le Parti libéral s'effectue le mieux possible. Elle acceptait donc de financer les activités du parti et elle se chargeait aussi du recrutement et de la promotion de ses vedettes.

Le Parti libéral offrait à la population de langue française la possibilité de participer à l'exercice du pouvoir politique à l'échelle nationale. Grâce au parti, les individus énergiques et entreprenants avaient l'occasion de grimper dans l'échelle sociale et d'accéder à une aisance matérielle que peu d'autres activités pouvaient offrir. La fidélité des électeurs québécois aux libéraux, au parti majoritaire au Canada, tient donc à l'éventail de carrières que la politique ouvrait pour eux dans la Fonction publique, dans la magistrature et même dans les affaires.

Grâce à son contrôle sur l'administration et sur les fonds publics, le Parti libéral offrait précisément ce que Louis-Hippolyte Lafontaine avait conçu au lendemain de la Rébellion de 1837-38: la participation des Canadiens français au pouvoir et aux largesses de l'État, ce qui devait leur permettre d'accroître leur richesse collective et, surtout, de créer des réserves de capital donnant accès à la société industrielle. Cette façon particulière de voir la politique a survécu jusqu'en 1960, avant quoi le trésorier de l'Union nationale, Gérald Martineau, déclarait avec un mélange de naïveté et de cynisme qu'il était extrêmement important de « créer des millionnaires canadiens-français ».

Cette acceptation du fait français et cette ouverture d'esprit que manifestaient le Parti libéral et ceux qui présidaient à ses destinées, se pratiquaient dans une société bien différente de celle d'aujourd'hui. La participation française à la politique fédérale, tout en renforçant l'unité nationale, ne portait ombrage à aucun intérêt social ou économique, comme cela devait devenir le cas après la

Révolution tranquille. La conception que l'on se faisait des responsabilités de l'État était très étroite. Jusqu'à la fin de la Seconde Guerre mondiale, la fiscalité n'était pas utilisée afin d'aplanir les cycles économiques ou pour influencer le développement. En outre, la Fonction publique était loin d'avoir l'ampleur qu'elle a acquise aujourd'hui. La liberté de manœuvre des hommes politiques était considérable, leur pouvoir n'étant pas amoindri par une armée de technocrates qui contrôlent à la fois l'information et les grandes orientations de l'administration publique.

Le nationalisme français au Québec n'avait pas encore évolué vers le genre de préoccupation et de militantisme qui firent subitement leur apparition après 1960. Les aspirations collectives allaient davantage vers l'intégration à la société industrielle nord-américaine que vers l'affirmation d'une existence nationale distincte et relativement indépendante du reste du pays. L'idéologie dominante au Québec durant la première moitié du XXe siècle favorisait la promotion des intérêts individuels à l'intérieur d'un système d'entreprise libre. On considérait les Anglais mieux doués pour les affaires et c'est sur eux que l'on comptait pour faire l'apprentissage de la vie économique et de la technologie. Ce n'est qu'après qu'une majorité francophone eut assimilé les valeurs de la société industrielle que le nationalisme québécois réapparut et se tourna de nouveau vers des questions d'identité culturelle.

L'alliance politique entre les francophones et les capitalistes canadiens-anglais de Montréal, réalisée au sein du Parti libéral, donnait au Québec un poids considérable à l'intérieur du système canadien. Les revendications nationalistes étaient alors en veilleuse et on se préoccupait davantage de rattrapage économique. Ce que le Québec recherchait auprès du gouvernement canadien c'était des droits de douanes qui protégeraient ses industries manufacturières, et un accès préférentiel à certains marchés étrangers où écouler ses produits semi-ouvrés et ses richesses naturelles. De plus, en échange d'une intégration à l'ensemble économique canadien, le Québec pouvait compter sur une part importante des travaux publics du gouvernement fédéral. De même, des entreprises francophones pouvaient compter sur leur part des contrats.

Il n'est donc pas surprenant de constater que le progrès économique apparaissait à tous comme le grand dissolvant de tensions sociales. L'accroissement de la production et de la richesse collective atténuait, selon l'opinion générale, la pertinence des revendications nationalistes. Le krach de 1929 et les deux crises de la conscription n'avaient pas réussi à ébranler l'adhésion au système politique canadien. Si des doutes se firent jour, ils portèrent surtout sur le type de justice sociale inhérente au système économique. L'expression du mécontentement nationaliste était perçue comme une manifestation d'esprits attardés et folkloriques.

Les milieux financier et industriel de Montréal croyaient fermement que la majorité d'expression française au Québec souhaitait la modernisation de ses institutions culturelles et sociales. Ils insistaient pour que les premières réformes portent sur le système d'enseignement dont l'insuffisance était tenue responsable de l'infériorité économique de la communauté française. Les éléments progressistes au Québec, et particulièrement le Parti libéral provincial à partir de la Seconde Guerre mondiale, se rallièrent à cette vue des choses.

Inévitablement, la politique canadienne a elle-même subi l'effet des circonstances qui ont entraîné le déclin de Montréal comme centre d'un empire commercial qui s'étendait d'un océan à l'autre, et qui durait depuis plus de deux cents ans. Les liens étroits qui unissaient l'est à l'ouest et qui constituaient la base du système canadien, ont été remplacés par des courants commerciaux nord-sud au fur et à mesure que le Canada s'intégrait à une économie continentale. L'émergence de Toronto comme centre économique et industriel tourne une page de l'histoire du Canada et en ouvre une autre dont les grandes lignes sont encore imperceptibles.

Durant presque toute la période où Montréal dominait la vie économique du Canada, il était évident pour tous que les relations entre Anglais et Français étaient assujetties à un type d'arbitrage politique. Tout échec aurait entraîné fatalement une crise dont les effets auraient paralysé et la vie politique et la vie économique. Mais les compromis et les accommodements sont beaucoup plus difficiles à réaliser aujourd'hui.

Dans le passé, il était relativement facile pour le Parti libéral de rapprocher les élites financières du Canada anglais et les élites politiques du Canada français. Les deux étaient concentrées à Montréal et se trouvaient en contact constant l'une avec l'autre. Mais depuis que Toronto a pris son essor comme centre économique du pays, ces deux élites ne se côtoient plus. La distance géographique qui les sépare maintenant est trop grande pour qu'elles puissent réaliser un accommodement au sein d'un parti politique.

Alors que ces deux élites faisaient partie autrefois d'une seule et même société, aujourd'hui elles semblent appartenir à deux sociétés différentes en rivalité l'une avec l'autre. Le Parti libéral conserve toujours la confiance de la population française du Québec qui voit la politique dans une perspective historique. En mettant l'unité nationale en tête de son programme au cours de campagnes électorales successives, l'ancien premier ministre Pierre Trudeau ne faisait qu'affirmer la mission historique du parti majoritaire au Canada. Mais le Parti libéral, depuis quelque temps déjà, perdait la confiance de l'Ontario et de l'Ouest, où la nécessité d'un compromis durable avec la population française du Québec est loin d'être évidente.

L'efficacité du Parti libéral comme agent de compromis fut minée par l'intervention d'un rival dans la conquête du pouvoir anciennement exercé par les hommes politiques et les hommes d'affaires. Alors que le gouvernement s'immisçait de plus en plus dans la gestion économique du pays et dans la sécurité sociale, la Fonction publique assumait une importance croissante, au point où elle pouvait sérieusement menacer l'autorité de n'importe quel parti au pouvoir. Son esprit de corps et ses intérêts collectifs sont devenus partie intégrante du système politique. Elle constitue une force quasi autonome avec laquelle le gouvernement doit nécessairement composer.

La Fonction publique s'est souvent élevée contre des compromis que le Parti libéral comptait réaliser pour promouvoir l'unité nationale. Le meilleur exemple en est celui de la politique de bilinguisme qui a été battue en brèche par les membres de la Fonction publique, tant anglais que français. Le système d'engagement et de promotion au mérite constitue paradoxalement un moyen d'exclusion. Comme les critères utilisés par le système sont formulés par des fonctionnaires de langue anglaise qui sont déjà en place, les différents groupes minoritaires éprouvent de sérieuses difficultés à accéder aux postes supérieurs de la Fonction publique. La discrimination plus évidente qui s'exerce à l'égard des femmes tend à confirmer l'existence d'une discrimination à l'égard des minorités ethniques, culturelles et linguistiques. Comme l'influence des francophones passe surtout par la filière politique, son utilisation tend à confirmer le stéréotype selon lequel les Québécois auraient une forte propension à la corruption.

L'expansion du pouvoir provincial et l'émergence de bureaucratie provinciale constituent une autre entrave à l'action d'un parti majoritaire au Canada et à sa capacité de réaliser dans l'ensemble du pays les compromis jugés nécessaires à l'unité nationale. Tout en donnant suite aux demandes pressantes de meilleurs services éducatifs et sociaux, les provinces en sont venues à jouer un rôle déterminant dans la formulation des attitudes et des buts collectifs. Ainsi, leur refus de modifier le caractère unilingue des sociétés comprises dans leurs frontières est un obstacle quasi insurmontable devant les politiques d'unité préconisées par le Parti libéral.

La fragmentation du système politico-économique du Canada va à l'encontre de l'idée d'accommodement et de compromis nationaux qui a été le fondement de l'activité politique et gouvernementale depuis la Confédération. Les dirigeants des institutions canadiennes ont toujours fait montre de paternalisme et de détermination, et ont réussi de cette façon à imposer un consensus qui n'aurait probablement pas existé autrement. Mais la situation actuelle rend tout arbitrage presque impossible parce que les différents éléments du pays — culturels, linguistiques, économiques et même gouvernementaux — sont incapables de s'entendre pour atténuer les causes de division. Le Parti libéral, quant à lui, est incapable de s'imposer comme un forum efficace à cette fin. C'est comme si le déclin de Montréal comme centre économique avait libéré à travers le pays tous les sentiments régionaux qui avaient été réprimés dans l'intérêt de l'unité nationale et du progrès économique.

En fait, il existe maintenant une très forte opposition à la notion de progrès économique que véhiculaient le Parti libéral et ses alliés parmi les élites financières anglophones et les élites politiques francophones. La centralisation et les économies d'échelles n'apparaissaient plus comme la meilleure solution aux problèmes actuels. Beaucoup considèrent que les inconvénients de la croissance dépassent les bienfaits qu'elle apporte. Des gens de droite aussi bien que de gauche soupçonnent que l'inflation et les tensions sociales résultent de la concentration économique, technologique et gouvernementale, et des dépenses exorbitantes que cet état de choses entraîne. Il y a un désir nostalgique de simplicité dans les relations personnelles, telles qu'elles existaient dans les petites villes d'autrefois. L'opposition à l'énergie nucléaire est devenue le symbole d'une désaffection généralisée à l'égard des valeurs économiques traditionnelles. La clientèle sophistiquée et ambitieuse qui gravitait autour du Parti libéral ne commande plus le même respect, et les électeurs ont maintenant tendance à rejeter les buts sociaux qu'elle propose.

La désagrégation de ce réseau de relations et d'intérêts réciproques, qui avait soutenu une entente durable entre Anglais et Français au Canada, a contribué à détruire le statut des libéraux comme parti majoritaire. À mesure qu'il devenait évident que les formules traditionnelles d'arbitrage ne fonctionnaient plus, l'ancien gouvernement a dû se mettre à la recherche de nouveaux moyens de préserver la cohésion de l'ensemble canadien, de garder le contact avec ce qui pouvait représenter une volonté collective et nationale, et de conserver le pouvoir. Sous le premier ministre Pierre Trudeau, l'esprit de conciliation et de compromis céda fatalement le pas à l'affrontement. Comme l'ancien cadre institutionnel s'effondrait, le gouvernement devint plus agressif dans sa formulation de l'intérêt national et plus intolérant à l'égard de la critique.

Les groupes qui auparavant réglaient leurs différends et réconciliaient leurs intérêts respectifs à l'intérieur du forum libéral sont maintenant trop éloignées les uns des autres pour pouvoir composer ensemble. Et même s'ils le pouvaient encore, ils ne possèdent plus l'autorité nécessaire pour imposer leurs décisions. L'élite financière de langue anglaise s'est déplacée vers Toronto et a perdu contact avec l'élément francophone dont les votes disciplinés au parlement fédéral soutenaient l'hégémonie des grandes institutions financières et des grandes sociétés nationales sur l'ensemble du pays. Quant à la population québécoise, elle est hésitante quant à son avenir politique et à la nature de sa participation au système fédéral.

Pendant que s'effritait l'alliance entre les francophones et le monde des affaires, l'Ouest canadien commençait à secouer la sujétion de type colonial qui le liait à l'Ontario et au Québec. L'Ouest se mit à exiger un développement économique autonome et plus diversifié. Ce mouvement, qui est particulièrement fort en Alberta et en Colombie-Britannique, indique la fin de l'ordre ancien, ainsi que l'accession du Canada à une nouvelle période de son histoire.

Cette nouvelle situation est une grande source de tension et engendre une certaine anxiété à Montréal. La communauté anglophone, qui était étroitement liée aux grandes institutions politiques et économiques du Canada, éprouve de graves problèmes d'adaptation et même de survivance. Le désir manifesté par le gouvernement provincial et par les éléments nationalistes de limiter l'usage de l'anglais dans la gestion des entreprises, dans le commerce et l'affichage, apparaît tellement menaçant qu'il en résulte une sorte de paralysie politique.

Mais, ce qui est le plus dangereux pour la communauté anglophone, c'est l'absence presque totale au niveau national et dans les autres provinces d'une politique de compromis qui lui permettrait de survivre au Québec et de conserver une partie de son ancienne influence. En effet, il semble exister dans le reste du pays une résignation à voir le Québec devenir unilingue français au même degré que les autres parties du Canada sont elles-mêmes unilingues anglaises. Cet arrangement symétrique, si l'on peut dire, satisfait le plus grand nombre tout en incommodant le moindre.

De toute façon, il est évident que le concept du parti gouvernemental tirant son appui de deux majorités, l'une anglaise et l'autre française, est maintenant désuet. La politique qui a soutenu le Parti conservateur au XIXe siècle et le Parti libéral au XXe, est devenue impraticable. L'État démocratique à parti unique aura vécu. Il n'y a aucun espoir que le gouvernement conservateur de Joe Clark puisse reprendre les modes d'accommodement

107

qui existaient par le passé. Pour que le Canada puisse fonctionner efficacement, comme économie et comme société, il sera forcé d'innover.

DEUXIÈME PARTIE

LE PRÉSENT

CHAPITRE VI

L'idéologie anglo-protestante et le système scolaire

Rien n'a autant contribué à persuader la communauté anglaise de Montréal de l'hostilité des francophones à son endroit, que les tentatives répétées de réduire l'indépendance du système d'enseignement anglo-protestant. L'éducation étant le moyen privilégié par lequel une génération transmet ses valeurs à la suivante, l'autonomie du système scolaire a toujours été jalousement protégée. Cette sollicitude était d'autant plus grande que le réseau d'écoles primaires et secondaires, coiffé par l'Université McGill, était directement relié au monde des affaires. C'est grâce à lui que la communauté anglaise formait ceux qui devaient assumer le sort économique du Canada. L'élite financière de Montréal participait à l'administration scolaire afin de s'assurer que son orientation correspondait au rôle que jouait la communauté anglaise au Canada et au Québec. C'est pourquoi toute atteinte au système scolaire est maintenant perçue comme une attaque contre la communauté anglaise elle-même.

La réforme de l'enseignement entreprise par le gouvernement du premier ministre Jean Lesage en 1960 provoqua une certaine inquiétude. La création d'un ministère de l'Éducation apparaissait déjà inquiétante, car elle plongeait l'éducation au cœur des débats politiques d'où elle avait été précédemment écartée. L'uniformisation des ressources fiscales des commissions protestantes et catholiques, c'est-à-dire anglaises et françaises, fit monter l'inquiétude. Mais la première mesure qui semblait devoir porter atteinte au système anglo-protestant, et le soumettre au bon vouloir d'une majorité française, fut adoptée en 1969 par le gouvernement de l'Union nationale, sous le premier ministre Jean-Jacques Bertrand. C'était un projet de loi visant à rationaliser les nombreux systèmes scolaires de l'île de Montréal afin d'éliminer les duplications de services inutiles et coûteuses. Le gouvernement se proposait de refondre les systèmes administratifs locaux divisés selon la religion, pour en faire de nouvelles unités territoriales.

Les objections formulées à cette occasion par le Bureau des écoles protestantes du Grand Montréal firent clairement ressortir les liens que l'on voulait maintenir entre l'éducation et le milieu des affaires, ainsi que la façon dont la communauté anglaise concevait sa vocation économique. Le mémoire adressé aux autorités provinciales affirmait:

« L'économie du Québec est sérieusement menacée par le refus de la Loi 62 d'assurer l'entière et libre survie des traditions anglaises. L'existence au Québec d'un secteur de langue anglaise avec des liens étroits avec le reste du Canada et des États-Unis a grandement contribué au bien-être économique de tous les

Québécois. Il est donc essentiel, non seulement pour les Québécois de langue anglaise, mais aussi pour leurs compatriotes de langue française, que l'on reconnaisse la nécessité de rendre les programmes d'études offerts aux élèves de langue anglaise aussi conformes que possible à ce qui se pratique dans le reste du Canada et de l'Amérique du Nord[1]. »

Le Montreal Board of Trade, qui est la contrepartie anglaise de la Chambre de commerce, fit valoir le même genre d'objections. Cette organisation d'hommes d'affaires faisait état, dans son mémoire aux autorités provinciales, d'importantes différences entre Anglais et Français au Québec.

« Les attitudes des anglophones sont généralement mieux adaptées à la poursuite de buts purement économiques que celles des francophones qui sont marquées par des considérations d'ordre tout à fait différent... Ces différences proviennent surtout de l'enseignement reçu. Conséquemment, les systèmes d'éducation doivent différer dans certains aspects fondamentaux comme les méthodes d'enseignement, leurs principes directeurs, et ainsi de suite[2]. »

Cette concordance entre les prises de position des autorités scolaires et celles des milieux d'affaires s'explique par le fait que la communauté anglaise identifie sa culture à son activité économique, et elle associe sa survie au Québec au contrôle qu'elle exerce sur les institutions économiques du secteur privé[3]. Cette unité de vues, qui se retrouve aussi dans d'autres milieux comme ceux de la religion et de la santé, provient aussi du fait que les hommes d'affaires ont, dans le passé, pris charge des

1. Traduction des auteurs.

2. Traduction des auteurs.

3. Cette analyse se retrouve dans L'Opinion des organismes montréalais face aux projets de loi 62 et 28, Analyse de leur discours idéologique par Pierre Beaulieu, Conseil scolaire de l'île de Montréal, 1975; ainsi que dans une thèse de maîtrise, Political Analysis of School Reorganization par Pierre Fournier, Université McGill, 1971.

institutions communautaires, y consacrant de leur temps et de leurs talents, et fournissant les fonds nécessaires à leur bon fonctionnement.

Le projet de loi sur la réorganisation scolaire à Montréal ne fut jamais adopté par l'Assemblée nationale, ni celui de 1971. Ce n'est qu'en 1972 qu'une loi fut enfin votée, mais elle ne fut jamais entièrement mise en application. La raison principale est que les Anglo-protestants trouvèrent des alliés inattendus parmi les Franco-catholiques pour s'opposer à la politique gouvernementale. Une part importante de la population française craignait la déconfessionalisation éventuelle du système scolaire catholique. Elle refusait la socialisation du système en vertu de laquelle la raison d'État vient contrecarrer le droit de regard que les parents veulent conserver sur l'éducation de leurs propres enfants. Cette alliance, qui n'a jamais eu de caractère officiel, cherchait à défendre des valeurs personnelles et privées par opposition aux intérêts sociaux et collectifs que les autorités provinciales voulaient imposer. Cette alliance s'opposait aussi à l'homogénéisation qu'un système d'éducation de masse entraîne inévitablement.

Le désir de la communauté anglaise de Montréal de perpétuer son rôle historique de gestionnaire de l'économie a considérablement influencé les accommodements réalisés à l'intérieur de son système scolaire sous les pressions croissantes de la majorité française. Le genre de bilinguisme proposé aux Québécois de toute origine reflétait les préoccupations de la communauté anglaise pour l'avenir. Durant la Révolution tranquille, alors que l'affirmation du fait français commençait à assumer une importance sans précédent, cette communauté se rallia à l'idée d'un bilinguisme généralisé. Un grand nombre d'unilingues acquirent la conviction qu'ils devaient apprendre le français et participer aux activités culturelles de la majorité française. C'était leur contribution au règlement des tensions linguistiques qui semblaient augmenter soudainement. Cependant, ils s'attendaient qu'en retour la population française sache reconnaître le statut privilégié de la langue anglaise dans le domaine économique. Avec une rare unanimité, la population anglaise se mit à l'étude du français et se posa de nombreuses questions sur l'efficacité de l'enseignement du français dans son système scolaire.

Ce à quoi on résistait n'était sûrement pas l'apprentissage du français. Il existait à cet égard une rare concertation qui s'est maintenue au cours des années[4]. La résistance porte sur les tentatives nationalistes d'abolir les vocations collectives que l'histoire et les traditions avaient assignées à chacun des deux groupes linguistiques au Québec. La persistance de cette notion parmi les élites anglophones de Montréal apparaît on ne peut plus clairement dans le mémoire que présentait le Bureau des écoles protestantes du Grand Montréal à la Commission Gendron en 1969. « Le patrimoine canadien-français va continuer à trouver son expression dans les arts, la littérature, le théâtre, ainsi que dans différentes activités sociales », affirmait-on. Quant à la minorité anglophone, on considérait qu'elle devait continuer à « assurer que le Québec, tout en demeurant la patrie de la culture française, continue à participer à la vie économique, industrielle et culturelle de l'Amérique du Nord[5] ».

Cette conception particulière d'une société bilingue, où l'anglais et le français prédominent dans leurs domaines respectifs, est confirmée par plusieurs enquêtes sur la façon dont les anglophones envisagent l'utilisation des langues au Québec. La Commission Gendron, par exemple, constata que la très grande majorité des travailleurs

---

4. Voir Dominique Clift, *Language Use among Montreal's Working Population, The Montreal Star,* 27 mars-2 avril 1976. Selon cette étude, 15 pour cent de la population anglophone au travail était inscrite à des cours de français.
5. Traduction des auteurs.

anglophones étaient d'avis que tous devraient savoir parler le français et que les francophones devraient pouvoir travailler dans leur propre langue. Cependant, interrogés sur la possibilité que le français devienne éventuellement la langue des affaires et de la finance, moins d'un quart y étaient favorables[6]. La Commission constata dans une autre étude que ces attitudes se transmettaient d'une génération à l'autre. Ainsi, une assez forte majorité d'étudiants au niveau secondaire étaient d'avis qu'il n'y avait aucune nécessité d'améliorer la situation du français comme langue de travail[7].

La communauté anglaise éprouve beaucoup de difficultés à se conformer aux exigences découlant de sa propre définition du bilinguisme. L'apprentissage de la langue française s'avère extrêmement difficile, sinon impossible, pour la très grande majorité. La raison principale tient à l'organisation interne de la communauté anglaise dont la classe moyenne manifeste une très forte propension à vivre dans un milieu socialement et économiquement homogène. C'est ainsi que la population anglophone se retrouve en très grande partie dans des quartiers où l'on entend relativement peu de français, et dans des entreprises où la langue d'usage est principalement l'anglais. Les règlements de zonage dans les municipalités de banlieue, comme les critères d'embauche et de promotion dans les entreprises, tendent tous à assurer

---

6. Rapport de la Commission d'enquête sur la situation de la langue française et sur les droits linguistiques au Québec, Livre I, *La Langue de travail*, 1972, l'Éditeur officiel du Québec, p. 142, tableau I.70. Cette attitude s'exprime aussi dans une autre étude effectuée pour la Commission par Jean-Claude de Brouwer, *Ce que pensent les élites économiques du Québec du français comme langue de travail*, 1972. Selon ces élites, la francisation n'est pratique qu'au niveau de l'atelier et des employés de bureau; p. 137, tableau I.69.
7. J. MacNamara et J. Edwards, *Attitudes to Learning French in English-speaking Schools in Québec*, Étude E 8, Commission d'enquête sur la situation de la langue française et sur les droits linguistiques au Québec, l'Éditeur officiel du Québec, 1973.

une très grande cohésion culturelle et une rare unité idéologique parmi la classe moyenne de la communauté anglaise. Mais cet avantage devient un sérieux handicap lorsqu'il s'agit d'apprendre le français: le milieu ambiant ne permet pas de pratiquer de façon soutenue une langue nouvellement acquise dans des cours. Ayant peu d'occasions de perfectionner leur connaissance du français, un grand nombre d'anglophones en ont conclu à une mystérieuse inaptitude collective pour les langues étrangères.

Plusieurs effets résultèrent de cet échec qui provenait de l'isolement des différentes classes et des différentes ethnies à Montréal. Cette incapacité collective d'apprendre une nouvelle langue eut un effet démoralisant sur l'ensemble de la population anglaise, et elle fit apparaître les exigences françaises comme encore plus dures et plus menaçantes qu'auparavant. Cette impuissance à réagir de façon constructive à une nouvelle situation contribua au durcissement de l'opinion publique à l'égard du nationalisme.

Un autre effet de cet échec fut de faire reporter sur les enfants aux études le fardeau du bilinguisme et de l'accommodement au nouveau fait français. Les autorités scolaires durent procéder très rapidement à une réforme en profondeur de l'enseignement de la langue française devant les pressions soudaines et fortes des parents qui voulaient à tout prix épargner à leurs enfants les difficultés auxquelles eux-mêmes devaient faire face. Pour remplacer un programme qui, après onze années d'études, ne parvenait même pas à transmettre une connaissance d'usage du français, on créa un nouveau programme de classes d'immersion destiné à assurer une connaissance pratique de la langue française.

L'immersion est devenue un aspect permanent de l'enseignement protestant à Montréal, et il sert à compenser l'isolement culturel de la communauté anglaise. Environ un quart de la population scolaire y est inscrite. Dans les premières années l'immersion en français y est presque complète. Graduellement, au cours des années subséquentes, les élèves retournent à leur langue maternelle et l'enseignement se fait surtout en anglais. Les différentes commissions scolaires des environs de Montréal, après dix années d'expérience de ces programmes, se sont déclarées très satisfaites des résultats obtenus. Commissaires d'écoles, enseignants et parents se sont plu à répéter que les diplômés des classes d'immersion seraient les seuls authentiques bilingues au Québec, et qu'ils étaient par surcroît particulièrement bien équipés pour faire face aux exigences de la société québécoise. Tous étaient heureux d'avoir enfin trouvé un moyen efficace de remédier aux lacunes linguistiques de leur milieu.

À l'épreuve, les classes d'immersion ne se sont pas révélées aussi fructueuses que les autorités scolaires et les parents le laissaient entendre. Ces classes sont composées très majoritairement d'enfants qui n'ont aucune expérience réelle de la langue française, si ce n'est par l'intermédiaire des maîtres et des manuels. Vu le nombre d'enfants inscrits dans une seule classe, l'expérience du français est à sens unique. Elle consiste le plus souvent à écouter plutôt qu'à s'exprimer. De plus, ces enfants ont très peu d'occasions de faire la connaissance d'un univers différent du leur à cause de l'homogénéité de leur propre environnement social. Compagnons de jeu et livres français ne sont pas couramment accessibles; seule la télévision, avec ses communications à sens unique, fait exception.

Il n'est donc pas surprenant de constater que des études aient démontré que ces enfants ne s'exprimaient que médiocrement en français et ne réussissaient pas du tout à s'intégrer aux milieux français. Un groupe de linguistes de l'Université de Montréal a constaté que les élèves en immersion française à la commission scolaire Baldwin-Cartier dans l'ouest de l'île de Montréal, tout en ayant une meilleure connaissance du français que les autres, étaient tout de même incapables d'avoir une conver-

118

sation le moindrement compliquée, ou encore de faire un travail exigeant une certaine maîtrise du français[8]. La conclusion qui s'imposait était que l'école n'est pas un milieu propice à l'apprentissage d'une autre langue, et qu'elle n'est qu'un point de départ. Sans le contact quotidien avec des enfants français du même âge, il ne peut y avoir de véritable progrès.

Une autre étude, portant cette fois sur les diplômés de classes d'immersion d'une école secondaire située à Saint-Lambert, sur la Rive-Sud de Montréal, démontra que l'intégration de ces finissants au milieu français était très superficielle. « Même avec une formation bilingue, plusieurs de ces diplômés éprouvent des difficultés à entrer en contact avec l'univers francophone qui les entoure », affirment les auteurs de ce rapport[9]. La majorité des étudiants interviewés déclarèrent que s'ils demeuraient au Québec, ils pourraient sûrement travailler en français. Toutefois, moins d'un tiers de ces étudiants croyaient que leur connaissance du français était suffisante pour des études supérieures dans cette langue. Plus de la moitié se déclarèrent disposés à quitter le Québec.

Il est certain que la communauté anglaise a fait montre d'une rare souplesse en modifiant ses programmes d'étude en si peu de temps et de façon si radicale. C'est un exploit inusité dans un monde que la lenteur bureaucratique étouffe progressivement. Mais les difficultés éprouvées dans l'apprentissage de la langue seconde indiquent que l'on a peut-être chargé le système scolaire d'une mission qui dépasse largement ses cadres et ses moyens, une mission totalement irréalisable: celle de

8. Kathleen Connors, N. Ménard et R. Singh, Testing Linguistic and Functional Competence in Immersion Programs, in Michel Paradis, editor, *Aspects of Bilingualism*, Hornbean Press, Columbia, South Carolina, 1979, p. 65-75.

9. Gary A. Cziko, Wallace E. Lambert, Nelly Sidoti et Richard G. Tucker *Graduates of Early Immersion: Retrospective Views of Grade II Students and Their Parents*, McGill University, Montréal, 1978.

permettre aux futures élites anglophones, devenues bilingues, de subir avec succès la concurrence de leurs rivaux francophones sur le terrain économique et dans des entreprises qui auraient été partiellement ou totalement francisées.

Il s'agit, en somme, de préserver le rôle historique de la communauté anglaise et, accessoirement, de témoigner à la population française des égards que l'on avait coupablement négligés par le passé. Mais c'est un accommodement très partiel à une situation nouvelle puisque le français n'est considéré que comme une compétence additionnelle requise par le marché du travail. Il n'est donc pas question d'intégration à la société française, ni même d'une meilleure connaissance du milieu français qui aurait permis justement aux anglophones de jouer un rôle d'intermédiaires entre le Québec français et le continent anglophone. Ce rôle, que l'on se plaît à imaginer, aiderait à maintenir l'ascendant historique de la communauté anglaise, mais cette fois-ci dans un cadre plus étroit, quoique satisfaisant quand même.

Il apparaît de plus en plus évident que les réformes réalisées avec tant de zèle ne produiront pas les résultats escomptés. Les parents anglophones commencent à s'en rendre compte, et les critiques du ministre de l'Éducation, Jacques-Yvan Morin, sont venues hâter cette constatation. Quoiqu'elle constitue un progrès par rapport aux anciennes méthodes, l'immersion comporte le désavantage d'être un enseignement français dans un cadre presque exclusivement anglophone, sans contact fructueux avec la société française. C'est donc dire que l'on est de plus en plus conscient du fait que la simple connaissance du français n'est pas suffisante pour maintenir la prééminence de la communauté anglaise dans ce milieu économique que les nationalistes français veulent conquérir.

Alors que la réorganisation scolaire à Montréal menaçait l'esprit distinctif du système anglo-protestant, les Lois 22 et 101 s'attaquèrent à sa clientèle. Dans un premier temps, un gouvernement libéral restreignit l'accès à l'école anglaise à ceux qui avaient déjà une connaissance suffisante de cette langue. Dans un deuxième temps, un gouvernement péquiste en limita l'accès à ceux qui avaient des racines au Québec, c'est-à-dire aux enfants de ceux qui avaient fréquenté des institutions anglaises dans cette province. Ces deux lois, qui appuyaient l'invasion du domaine économique réservé à la communauté anglaise, contribuèrent à réduire considérablement le bassin de population qui alimente les écoles anglo-protestantes.

La population immigrante de Montréal devint, par ce fait même, l'enjeu d'une guerre de clientèle plus ou moins ouverte entre le système franco-catholique et celui des Anglo-protestants sans compter le sous-système des Anglo-catholiques. Les enfants d'immigrants représentent un apport considérable pour les deux réseaux anglophones. Ils permettent l'ouverture d'un plus grand nombre de classes et l'engagement d'un plus grand nombre d'enseignants. Le coût des différents services offerts à la population scolaire est également réparti sur une clientèle plus vaste, ce qui entraîne des subventions gouvernementales plus élevées. À l'heure actuelle, 25 pour cent du secteur anglo-protestant et 75 pour cent du secteur anglo-catholique se composent d'enfants d'immigrants.

En plus des lois qui limitent l'accès aux écoles anglaises, le départ de personnes dont les enfants y seraient vraisemblablement inscrits plus tard décime les rangs de la communauté anglaise. Le motif le plus courant de ces départs, c'est l'hostilité que l'on croit subir de la part des francophones, le rétrécissement constant des horizons professionnels, ou encore l'inquiétude que cause la situation politique au Québec. C'est ce qui ressortait d'une étude sur les diplômés d'écoles secondaires anglaises visant à savoir où ils se trouvaient cinq ans après la fin de leurs études[10]. Trente-trois pour cent de ceux dont la langue maternelle était l'anglais et 19 pour cent de ceux dont la langue maternelle était autre que l'anglais quittaient la province de Québec. Comme l'indique cette étude, plus l'intégration à la communauté anglaise est poussée, plus s'accentue la tendance à émigrer ailleurs au Canada.

La première réaction des milieux scolaires anglophones fut de défier le Loi 101. Du côté catholique, des élèves non admissibles furent inscrits à l'école anglaise à l'insu des autorités scolaires, mais avec l'entière collaboration des directeurs d'écoles, des enseignants, ainsi que de leurs syndicats qui acceptèrent des charges d'enseignement supplémentaires allant à l'encontre des conventions collectives. Toutefois, l'intérêt des immigrants pour ce genre de solution diminua rapidement, leurs enfants se trouvant dans des situations intolérables où ils devaient vivre et étudier complètement en marge des autorités scolaires. Du côté protestant, professeurs et syndicats, moins directement menacés à cause du nombre inférieur d'immigrants inscrits dans leurs classes, refusèrent de prêter leur concours à ce genre de résistance qui minait la valeur de leurs conventions collectives. Le Bureau des écoles protestantes du Grand Montréal rejeta donc la clandestinité et accepta un certain nombre d'enfants inadmissibles en pensant recourir à la générosité du public pour se défrayer des charges additionnelles que sa décision entraînait. Mais, devant les représentations du gouvernement provincial qui menaçait de réduire ses subventions, et à cause d'une certaine indifférence de la part du public, la commission scolaire dut abandonner son projet.

---

10. Pour une description plus détaillée de cette situation, voir Gary Caldwell, *Out-Migration of English Mother-Tongue High School Leavers from Quebec, 1971-76*, The Anglo Quebec en Mutation Committee, Bishop's University, Lennoxville, 1977.

La solution de dernière ligne fut l'expansion du réseau d'écoles protestantes de langue française qui, jusqu'en 1978, ne comprenait que quelques classes élémentaires dans différentes écoles anglaises et une seule école secondaire à la disposition du petit nombre de protestants francophones de la région de Montréal. Mais, pour l'année scolaire suivante, on mit sur pied un réseau de classes d'accueil pour les jeunes qui n'avaient pas une connaissance suffisante de la langue française, et pour les années suivantes, on projette une expansion rapide de tout le réseau de classes françaises. C'est porter la guerre de clientèle sur un terrain tout à fait nouveau.

Le Bureau des écoles protestantes est fort conscient de la force d'attraction de ce nouveau système français sur les familles d'immigrants pour qui la connaissance de l'anglais représente une possibilité d'avancement social et économique incontestablement supérieure à celle qui est offerte par le français. L'enseignement de l'anglais dans ces écoles serait infiniment plus efficace et se donnerait dans des circonstances beaucoup plus favorables que celles qui prévalent dans les écoles catholiques françaises. On n'aurait pas à subir le chauvinisme anti-anglais attribué aux enseignants et aux étudiants franco-québécois. En outre, on espère pouvoir faciliter l'apprentissage des langues secondes en réunissant les classes anglaises et françaises sous un même toit. On croit qu'il sera possible, sans contourner la Loi 101, de fournir aux enfants d'immigrants inscrits dans des classes françaises une connaissance de la langue et de la culture anglaises qu'ils n'auraient pas l'occasion d'acquérir autrement.

Une possibilité que l'on n'ose évoquer est que ces classes se montrent aussi attrayantes pour les Québécois d'origine désireux de voir leurs enfants perfectionner leur anglais et fréquenter un milieu pluraliste et plus diversifié que celui que l'on connaît ordinairement dans les écoles catholiques françaises. Cet apport contribuerait sans doute à rapprocher le système protestant des grands courants québécois. Mais cela ouvrirait aussi la porte à une concurrence plus directe avec les diverses commissions scolaires catholiques de l'île de Montréal qui sont toutes de majorité française et passablement affaiblies par la croissance des collèges privés subventionnés. Ceci entraînerait sûrement une accélération du mouvement d'intégration scolaire à Montréal par les autorités provinciales, une possibilité que l'on considère avec appréhension. Un autre péril hypothétique est que l'accroissement du secteur protestant français nécessite l'embauche d'un nombre tel de Franco-Québécois qu'il en résulterait d'un mouvement de bascule syndicale vers la Centrale des Enseignants du Québec dont les prises de positions nationalistes et gauchistes donnent autant à craindre que la volonté de séparation politique du Parti québécois.

Ce qu'il y a de plus troublant pour les autorités scolaires anglophones, ainsi que pour la population qu'elles desservent, est que l'intégration graduelle à un Québec majoritairement français semble mener à une nouvelle sorte d'affrontement qui se situerait au-delà des considérations linguistiques et ethniques habituelles. On craint l'affrontement sur le terrain des mentalités et des attitudes culturelles, amenant le Québec français à rejeter le pluralisme qui a gagné les États-Unis, et que l'on aimerait voir s'implanter ici en remplacement de ce dualisme historique qui est en train de s'effondrer.

CHAPITRE VII

La bureaucratie et la fin des deux solitudes

Ce que la communauté anglaise de Montréal invoque le plus volontiers pour expliquer son déclin économique et politique est la montée du nationalisme québécois depuis une quinzaine d'années. C'est l'opinion la plus courante parmi les milieux d'affaires, les institutions culturelles et les media et elle s'exprime très fréquemment dans les réunions politiques. Alors que la communauté anglaise mobilise ses ressources pour la campagne du référendum, on cherche à convaincre la population française que le nationalisme, en définitive, est destructeur et qu'il a un effet négatif sur la prospérité générale. On accepte l'idée que l'évolution de l'économie américaine a pu provoquer un mouvement migratoire vers l'ouest.

Mais au-delà de ces vagues considérations, on reste plutôt ignorant des causes profondes de la situation actuelle.

La dimension que l'on ignore est celle de l'organisation bureaucratique de la société et de l'économie, qui a entraîné l'émergence d'une nouvelle classe de gestionnaires autant dans les pays capitalistes que socialistes. Son apparition au Québec fut plutôt tardive à cause de la dissociation très marquée entre l'État provincial contrôlé par la majorité française, et l'économie qui se trouvait entre les mains d'une minorité anglaise jouissant de la protection politique du gouvernement fédéral. Mais l'implantation bureaucratique au Québec, lorsqu'elle fut identifiée à la majorité française, eut des effets imprévisibles que l'on ne saurait assimiler au nationalisme.

Le nationalisme a été le mouvement idéologique le plus durable au Québec. Il a été le moyen le plus couramment utilisé pour l'expression de buts collectifs, de la même façon que les chefs de file de la communauté anglaise proposaient une vision économique des choses afin de canaliser les énergies du plus grand nombre vers le développement du pays. Il y eut au Québec des périodes au cours desquelles le nationalisme suggérait de façon irrésistible la constitution d'un rempart, ou encore d'une carapace qui permettait de résister aux pressions de l'extérieur susceptibles de miner la cohésion de la société française. C'est cette forme de nationalisme qui s'est manifestée le plus souvent, comme par exemple dans la défense du régime seigneurial dans la première partie du XIXe siècle, et dans la promotion de la paroisse rurale et de la colonisation au début du XXe.

D'autres manifestations du nationalisme ont fait leur apparition à différentes époques. Ainsi, durant certaines périodes de tensions sociales, un consensus se dégageait parmi les élites de langue française pour mettre fin à une opposition stérile au changement et pour amorcer une politique de réforme des institutions nationales. Ce genre de nationalisme a eu cours après l'Acte d'Union de 1840, alors que la société française était placée dans l'obligation de s'adapter au capitalisme et à la révolution industrielle pour survivre. À ces moments-là, le nationalisme fournissait la motivation nécessaire pour surmonter l'individualisme et le sectarisme qui souvent paralysent la vie québécoise et représentent la contrepartie des forts sentiments collectifs et nationaux qui s'y manifestent parfois de façon étouffante.

Vers 1960, le Québec se retrouva de nouveau devant l'urgente nécessité de procéder à des réformes institutionnelles. Cette fois-ci, la nouvelle vague nationaliste fut soutenue et alimentée par la Fonction publique provinciale, par la nouvelle bureaucratie montante qui avait besoin de l'idéologie nationaliste pour l'aider à consolider son pouvoir. Sa croissance eut lieu à la faveur d'une réorientation de l'activité gouvernementale destinée à répondre aux besoins locaux et communautaires dans les domaines de l'éducation, de l'aide sociale et de la santé, ceci en rivalité avec les fonctions de gestion économique du gouvernement fédéral. Pendant quinze ans, donc, la Fonction publique provinciale fut le principal moteur de changement social au Québec, dépassant en importance des organisations plus en évidence, tels les partis politiques et le mouvement syndical.

Son principal rival était évidemment l'appareil administratif du gouvernement fédéral qui, en étant infiniment plus fort et mieux pourvu, cherchait à étendre sa tutelle sur tous les gouvernements subalternes à travers le pays. Cependant, la bureaucratie québécoise, grâce au soutien qu'elle apporta à l'idéologie nationaliste, reçut un appui populaire tel que la lutte politique engagée contre l'autorité fédérale ne pouvait se solder qu'au désavantage de cette dernière. La voie devenait donc libre pour procéder à une centralisation des services axée sur Québec et à une homogénéisation de toutes les institutions locales à travers la province. C'est ce qui mit fin à l'autonomie traditionnelle de la communauté anglaise vis-à-vis du pouvoir provincial.

L'affrontement entre Québec et Ottawa, qui est au centre de la vie politique depuis de nombreuses années, a pris forme peu après la fin de la Seconde Guerre mondiale. Afin de pouvoir financer ses dépenses militaires, Ottawa avait concentré dans ses mains les principales ressources fiscales du Canada. Une part jugée raisonnable était ensuite versée aux provinces qui se plaignaient constamment de la mesquinerie de la contribution qu'elles recevaient. Mais le gouvernement fédéral était confiant qu'aucune d'entre elles ne voudrait assumer l'odieux de lever ses propres impôts, et comptait ainsi exercer une influence prépondérante sur toute l'administration du pays à quelque niveau que ce fut.

Le débat sur la fiscalité menaçait de s'éterniser en paroles inutiles lorsque, en 1954, le Premier ministre du Québec porta un coup inattendu et audacieux à son homologue fédéral, Louis Saint-Laurent. Maurice Duplessis présenta devant le Parlement québécois un projet de loi instituant un impôt provincial sur les revenus des particuliers et des sociétés. C'était un geste sans précédent qui voulait affirmer le droit inaliénable des provinces d'imposer et de dépenser sans en référer au gouvernement central. Duplessis avait confiance qu'une majorité des électeurs du Québec l'appuierait sans hésitation. C'est en effet ce qui se produisit. Le gouvernement fédéral fut donc dans l'obligation de négocier un partage fiscal plus généreux avec les provinces. Mais les principes constitutionnels en jeu ne furent pas réglés, et ne le sont pas à ce jour.

La communauté anglaise de Montréal réagit de façon assez bruyante contre l'attitude adoptée par le Premier ministre québécois. Le milieu des affaires, en particulier, se rendit facilement compte des conséquences que pourrait avoir la double taxation, ainsi que l'on décrivait le geste de Duplessis. On craignait surtout la balkanisation du Canada à la suite de l'augmentation du pouvoir fiscal des provinces. On croyait généralement, dans les années d'après-guerre, alors que la concurrence internationale était particulièrement vive, que l'économie canadienne ne pourrait prospérer que grâce à une plus grande centralisation des pouvoirs et des décisions. Le salut, affirmait-on, était dans la concentration économique, comme il en avait été au cours des différentes périodes de l'histoire du Canada.

Le préjugé que les Anglais entretenaient depuis toujours à l'égard de la population française refit surface lorsque l'on réalisa l'ampleur de l'appui électoral dont jouissait Duplessis. On revint aux jugements stéréotypés prononcés par Lord Durham plus de cent ans auparavant, et inspirés par la classe marchande de l'époque. Ce que l'on reprochait de nouveau à la population française était sa mentalité rétrograde et son inaptitude à saisir des concepts économiques. Il semblait évident à la communauté anglaise dont le leadership était principalement protestant, que l'Église catholique était la première responsable des retards qu'accusa la société québécoise jusqu'en 1960. Ce n'est qu'en rejetant la tutelle du clergé et en adoptant des attitudes nettement plus urbaines, que la population française serait en mesure de partager les bénéfices de la société industrielle moderne.

Ce jugement, ainsi que les propositions de réformes qui y étaient associées, trouvait un écho favorable parmi une certaine élite libérale qui acceptait la notion de progrès mise de l'avant par la communauté anglaise, par les milieux d'affaires français et anglais, ainsi que par le Parti libéral fédéral qui était alors au pouvoir à Ottawa. Afin de lancer une opération de rattrapage, on espérait pouvoir renverser le régime du Premier ministre Duplessis et de l'Union nationale qui s'appuyait alors sur une idéologie qualifiée de nationaliste et de ruraliste. L'existence d'une forte minorité française hautement désireuse

129

de modernisation et de progrès apparaissait donc extrêmement rassurante à la communauté anglaise.

L'instauration de l'assurance-hospitalisation, en 1957, aggrava la lutte politique qui s'était déclarée sur la question de la fiscalité. La proposition fédérale, dont les provinces devaient assumer la moitié des coûts, comportait des normes nationales et prévoyait l'uniformisation des services hospitaliers d'un bout à l'autre du Canada, ceci dans l'intérêt de l'efficacité et de l'unité nationale. Mais Duplessis rejeta carrément l'offre fédérale, même si les contribuables québécois devaient être taxés pour des services dont ils ne bénéficieraient pas du tout. Le Premier ministre craignait qu'une acceptation ne réduise davantage l'autonomie déjà précaire de la province et ne prépare l'assimilation de la société française par le Canada anglais.

Duplessis savait fort bien que l'administration provinciale n'était pas de taille à s'opposer aux volontés du monstre bureaucratique qui prenait corps à Ottawa à ce moment grâce à l'acquisition d'ordinateurs qui décuplaient les capacités administratives ainsi que les appétits de contrôle. Il craignait également de heurter de front les communautés religieuses qui à cette époque étaient encore responsables du personnel et de la gestion de la plupart des institutions sociales de la province. Les risques politiques étant trop considérables à ses yeux, il se résigna donc à ne pas participer au projet fédéral. C'était une solution de désespoir, un aveu humiliant de faiblesse.

Ce n'est qu'en 1960, après l'élection du Premier ministre Jean Lesage et des libéraux, que le Québec accepta de participer à l'assurance-hospitalisation, et cela à cause de fortes pressions populaires. C'est à cette occasion que le gouvernement mit en branle une série de réformes et de transformations qui se poursuivent encore jusqu'à nos jours.

La réglementation fédérale exigeait un contrôle comptable extrêmement sévère sur les administrations hospitalières. Or, depuis, le début de la colonie, les communautés religieuses qui en avaient la charge vivaient de terres concédées par la Couronne, de souscriptions publiques et de subventions de l'État. Le système fonctionnait à la satisfaction générale depuis plus de trois cents ans. Mais, vers 1960, il était devenu évident qu'il ne satisfaisait pas à la demande de plus en plus pressante de soins médicaux et hospitaliers qu'une plus grande aisance avait entraînée. L'intervention de l'État était inévitable. Mais elle s'accompagnait d'exigences nouvelles: chaque somme reçue et déboursée devait être comptabilisée; les hôpitaux devaient nécessairement être constitués indépendamment des communautés religieuses qui les desservaient. Le travail fourni par les religieuses devait aussi être inscrit sur des feuilles de paye; et par ce fait même on en vit plusieurs se joindre à des syndicats et se mêler aux piquets de grève lorsque les circonstances l'exigeaient.

L'Église ne manifesta aucune velléité de résistance à ce qui était en réalité une sécularisation rapide des institutions sociales que le recours croissant et systématique aux fonds publics rendait inévitable. Il était évident que le parternalisme clérical avait vécu. Les administrations hospitalières furent donc converties au début des années 60 en sociétés sans but lucratif selon le modèle exigé par la réglementation fédérale. Plus tard, ce fut au tour des collèges, des foyers de vieillards, des agences d'aide sociale à subir le même sort. La sécularisation atteignit finalement les caisses populaires et les syndicats catholiques qui, pour la plupart, avaient été fondés grâce à l'initiative du clergé. C'était un changement radical pour une province que l'on dénonçait encore quelques années auparavant comme étant sous la tutelle tyrannique des curés — *priest-ridden*.

La réaction des anglophones devant ces changements fut extrêmement favorable. D'abord, ils avaient dorénavant accès à des services hospitaliers gratuits dont bénéficiaient les autres Canadiens depuis quelques années déjà. Mais ce qui est plus important, ils faisaient dès lors partie de ce vaste rassemblement politique qui était au pouvoir et qui regroupait sous la direction du Parti libéral provincial la majeure partie du mouvement nationaliste, le mouvement syndical, les intellectuels et les gens de professions libérales, ainsi que les milieux d'affaires. Pendant quelques années, il exista une solidarité entre les deux communautés linguistiques presque sans précédent dans l'histoire du Canada.

Les réformes entreprises par le gouvernement Lesage semblaient démontrer la volonté du Québec de rejoindre les grands courants canadiens au lieu de s'isoler obstiné- ment dans des institutions sociales archaïques. De même, les questions économiques semblaient mieux comprises de la majorité française, et on s'attendait qu'elle se rallie aux politiques fédérales favorisant la centralisation et la concentration des pouvoirs. La communauté anglaise du Québec, et particulièrement le milieu des affaires, voyait donc l'avenir avec optimisme et croyait qu'elle conserverait sans problème son ascendant financier et technologique sur l'ensemble de la société québécoise.

Cette vue intéressée de l'évolution du Québec ne tenait cependant pas compte de certains aspects de la situation. Le nouveau gouvernement n'avait pas du tout l'intention de tourner le dos à l'idée de l'autonomie pro- vinciale. Au contraire, il se préoccupait de réconcilier ce concept capital avec les besoins sociaux pressants qui se manifestaient à ce moment et qui avaient été négligés sous l'Union nationale. Le nouveau gouvernement était plus résolu que jamais à résister à toute expansion de l'autorité fédérale à ses dépens et à briser le quasi- monopole qu'elle conservait sur les ressources fiscales.

Un autre aspect de la situation auquel la communauté anglaise ne prêta guère attention fut la croissance de la bureaucratie provinciale à partir de 1960. Cette croissance fut si rapide que la Fonction publique québécoise fut bientôt en mesure de tenir tête politiquement à sa rivale dans la capitale nationale. Le nombre de fonctionnaires augmentait à une allure incroyable au fur et à mesure que le gouvernement provincial se chargeait de l'administration des différents programmes à frais partagés institués par les autorités fédérales: assurance-hospitalisation, assistance-chômage et aide à la formation technique. Une vague de réformes, particulièrement celles du système d'enseignement et de la gestion financière de la trésorerie, consolida le pouvoir des fonctionnaires. Comme la nouvelle bureaucratie était presque exclusivement de langue française, tandis que celle d'Ottawa était majoritairement de langue anglaise, l'affrontement entre les deux était impossible à éviter. La lutte devint d'autant plus dure qu'à cette époque les gouvernements se lançaient dans des programmes de dépenses inconsidérés et inflationnistes.

La bureaucratie québécoise mit peu de temps à élaborer sa propre philosophie politique qui favorisait naturellement l'extension de son propre pouvoir. Un des principes fondamentaux de cette idéologie était que les intérêts privés et individuels devaient être subordonnés aux aspirations et aux buts collectifs, ceci d'une façon analogue aux exigences du nationalisme. La nature de ces objectifs était évidemment définie par des fonctionnaires technocrates et par des universitaires engagés par eux. La méfiance traditionnelle des Québécois à l'égard de toute autorité publique fut temporairement désarmée par cette nouvelle classe dont la probité et le désintéressement garantissaient la permanence du renouveau politique que tous les électeurs étaient en mesure d'apprécier. Le pouvoir de cette nouvelle classe garantissait en quelque sorte que le bien public n'aurait pas à souffrir de l'inconstance et de la corruption des hommes politiques. C'était l'avènement de l'État-providence au Québec.

Afin de justifier l'autorité envahissante de la bureaucratie, le nationalisme fut transformé, de l'attitude défensive et isolationniste qu'il était, en un mouvement actif qui amènerait la population à accepter des changements fondamentaux dans la société. On assista donc à une diminution sensible de l'animosité séculaire à l'endroit des anglophones, animosité qui avait été entretenue par des incidents comme l'exécution de Louis Riel, l'abrogation des droits du français au Manitoba et en Ontario, et la conscription lors des deux guerres mondiales. C'est le gouvernement fédéral lui-même qui devint l'ennemi, celui qui entravait l'affirmation du fait français au Québec. La lutte contre Ottawa était d'autant plus facile à soutenir que les fonctionnaires fédéraux, majoritairement de langue anglaise, connaissaient peu le Québec et étaient donc sujets à commettre de nombreuses erreurs d'interprétation en ce qui concernait les intérêts québécois. Il s'ensuivit une longue guérilla constitutionnelle portant sur une grande variété de sujets tels la fiscalité, le droit d'imposer et de dépenser, les richesses naturelles, les communications, la composition de la Cour suprême du Canada, et ainsi de suite. Ces affrontements successifs contribuèrent énormément au prestige de la nouvelle classe à Québec.

La communauté anglaise fut complètement dépaysée par une suite d'événements inattendus et incompréhensibles. Jusqu'en 1960, les deux groupes linguistiques au Québec avaient plus ou moins administré leurs propres affaires parallèlement et avec un minimum de contact. Il en était de même pour le financement des institutions communautaires. Mais l'avènement des empires bureaucratiques dans l'administration publique eut tôt fait de mettre fin aux *deux solitudes*. L'extension des services et des contrôles gouvernementaux, la nécessité de recourir de manière soutenue et systématique aux fonds publics, ainsi que l'augmentation vertigineuse des dépenses publiques eurent comme effet de replacer dans le domaine de la politique une foule de problèmes et de décisions qui jusqu'alors en avaient été discrètement écartés.

Cette valorisation soudaine du domaine politique entraîna fatalement un accroissement de l'influence des électeurs au détriment du pouvoir traditionnel des élites financière, industrielle, professionnelle et autres qui avaient été presque seules à déterminer la nature des accommodements à réaliser à l'intérieur du Québec.

La communauté anglaise avait toujours compté sur son élite financière pour la défense de ses intérêts et de son style de vie. Mais après 1960, ses diverses institutions communautaires furent dans l'obligation de soumettre leurs politiques et leurs prévisions budgétaires à l'approbation de fonctionnaires provinciaux. On éprouva un certain choc à constater qu'il était dorénavant impossible de prendre des décisions en petits comités, et plus ou moins secrètement, comme cela s'était toujours pratiqué dans des institutions comme l'Université McGill, l'hôpital Royal Victoria ou les diverses commissions scolaires protestantes. On ne pouvait même plus négocier des ententes en coulisse avec les hommes politiques à la tête du gouvernement.

Le milieu anglophone, particulièrement son secteur protestant, plus riche et plus puissant, fut complètement désorienté. L'ancienne façon de faire les choses, avec son pragmatisme, son absence de formalisme, son élitisme, n'était plus d'aucun secours. Il fallait satisfaire les bureaucrates au moyen d'offrandes propitiatoires faites de rapports interminables. Le type de personnalités qui autrefois pouvaient transiger familièrement avec les hommes politiques au pouvoir était incompatible avec les nouveaux administrateurs de la chose publique à Québec. Des tensions pénibles résultèrent du fait qu'il fallut remplacer ces gens par d'autres qui avaient une meilleure compréhension des procédures administratives.

Un effet particulièrement négatif de l'intrusion bureaucratique dans la gestion des institutions communautaires anglaises fut d'écarter les hommes d'affaires qui avaient consacré leur talent et leur temps à en assurer le bon fonctionnement. Ceci eut comme résultat de détruire la cohésion et la force qu'avait toujours manifestées le milieu anglais. Dès lors qu'ils cessèrent d'assumer des responsabilités communautaires et qu'ils furent en quelque sorte coupés de leur propre milieu, les hommes d'affaires devinrent plus disposés à prendre des décisions économiques qui ne comportaient aucune préoccupation sociale. Il est certain que cette coupure contribua à accélérer l'exode des sièges sociaux vers Toronto, mouvement qui réduisait considérablement les possibilités de carrière et d'emploi au sein de la communauté anglaise. L'intervention de la bureaucratie québécoise avait sapé la loyauté que les hommes d'affaires auraient normalement dû ressentir pour leur propre communauté culturelle.

La planification sociale et la centralisation étaient des notions si étrangères aux traditions de la communauté anglaise que cette dernière ne pouvait y voir qu'un mouvement hostile à son mode de pensée et même à sa forme de culture économique. Cette communauté se rendit compte que, pour la première fois de son existence, elle ne contrôlait plus ses propres institutions et qu'elle ne pouvait rien contre les forces socio-économiques qui menaçaient de la submerger.

Il n'est donc pas surprenant de constater que la condescendance que l'on manifestait à l'égard de la société française se mua rapidement en méfiance et même en crainte. On ne savait pas comment expliquer cette force mystérieuse dont soudainement semblait douée la population française, force qui lui permettait d'imposer sa volonté à une autre société plus riche et apparemment beaucoup plus puissante, et surtout de la priver de cette indépendance qu'elle avait historiquement affirmée vis-à-vis de la majorité numérique au Québec. La situation devint encore plus tendue lorsque René Lévesque quitta bruyamment le Parti libéral provincial pour proposer la souveraineté-association aux électeurs québécois, et que le Parti québécois lui-même eut commencé sa longue ascension vers le pouvoir. C'est alors que toutes les énergies politiques de la société anglaise à Montréal se concentrèrent sur la lutte au nationalisme, et cherchèrent à contrer toutes et chacune de ses manifestations, peu importe qu'elles fussent négatives ou positives. Mais cette mobilisation politique se révéla totalement improductive, et contribua même à aggraver les tensions qui déjà se faisaient sentir.

Un point vulnérable dans le comportement anglais est cette tendance à définir la démocratie d'une manière plutôt étroite, c'est-à-dire comme s'appliquant exclusivement au processus électoral. Ainsi, il existait une ambiance de secret et de réserve dans l'administration de l'Université McGill, des commissions scolaires protestantes et même de l'Hôtel de Ville de Westmount. Les élites qui avaient pris ces institutions en charge se comportaient exactement comme elles le faisaient dans les différentes maisons d'affaires et firmes dont elles avaient le contrôle. On était éclairé et efficace quant aux services que l'on rendait à la population, à tel point que les institutions anglaises attiraient une clientèle française assez nombreuses. Mais le type de gestion auquel on avait recours était quelque peu autoritaire: il ne permettait aucune participation de la part de la population en général, du personnel, ou des usagers. C'était comme si tout le monde se trouvait sous la tutelle bénévole d'une aristocratie d'affaires. Il y avait donc une propension inusitée à limiter la portée des débats politiques et même à situer l'administration et la gestion d'institutions communautaires hors de « la » politique. Toute critique était donc malvenue, et il existait un assentiment général pour respecter la consigne du silence.

Les principes démocratiques étaient affaiblis davantage par l'acceptation intéressée de la division ethnique du travail qui fut établie dès le XVIIIe siècle dans le Bas-Canada, entre Anglais et Français, et en vertu de laquelle le commerce et l'industrie étaient attribués aux premiers, tandis que les seconds avaient comme domaine la politique, la culture et les affaires sociales. La spécialisation ethnique, si l'on peut dire, fut subséquemment étendue aux vagues successives d'immigrants. Chaque groupe agissait presque comme si on lui avait assigné un rôle économique particulier. Les Juifs, par exemple, étaient concentrés dans l'industrie du vêtement, alors que les Italiens affluèrent dans celle de la construction. Mais, plus tard, chacun de ces groupes devenait prisonnier de l'image que les autres se faisaient de lui, et ses membres ne parvenaient que très difficilement à accéder à des postes importants dans des entreprises et institutions anglaises ou françaises. Ce genre d'ordre fondé sur l'ethnie a aussi existé dans le reste du Canada et aux États-Unis, mais il a duré plus longtemps au Québec, jusqu'à ce que l'entente historique qui lui donna lieu soit rompue par les élites francophones.

Évidemment, il y a des avantages sociaux et économiques considérables à tirer d'une situation où l'on réprime les tendances démocratiques — celles-ci étant entendues dans le sens égalitaire que la population française du Québec lui donne, comme d'ailleurs la plupart des Européens. L'élitisme de la société anglaise de Montréal lui permettait de conserver son ascendant sur les minorités ethniques, et même sur la population française, ascendant qu'il lui aurait sans doute été plus difficile de conserver dans un système politique plus ouvert.

La communauté anglaise était complètement démunie pour faire face à l'envahissement bureaucratique dont l'origine était au gouvernement provincial. La population, n'ayant jamais participé à la gestion de ses propres institutions, n'était pas portée à mener la lutte sur le terrain même où elle se trouvait menacée. Elle était politiquement analphabète et n'avait aucune compréhension des principes en jeu: la décentralisation et les responsabilités locales. La réaction qui s'imposa fut de revenir aux rivalités traditionnelles entre Anglais et Français, un terrain sur lequel tous se sentaient beaucoup plus à l'aise.

Par incompréhension et par inadvertance, la population anglaise de Montréal se présenta comme le principal obstacle à la réalisation des aspirations de la majorité française. Elle devint la première cible, après le système capitaliste, du mécontentement social qui s'exprimait au Québec. Dans un tel climat, les attitudes se durcirent rapidement des deux côtés de la barricade linguistique. Le compromis devint particulièrement difficile dans le monde des affaires, ce qui devait accélérer le déclin économique de Montréal. Le nationalisme modéré de la Révolution tranquille, qui n'était préoccupé que de la rénovation de la société québécoise et de la conquête d'un plus vaste espace économique, prit peu à peu avec la montée du Parti québécois l'allure d'une croisade culturelle et linguistique, et même ethnique en ce qui a trait à certains éléments du parti.

Aujourd'hui, le seul engagement politique qui rallie une assez forte partie de la population anglophone est celle des groupes dits d'unité nationale qui ont été mis sur pied pour la campagne référendaire. Ce type d'engagement, quoique légitime, a tout de même une portée fort restreinte et ne touche pas à l'organisation de la vie communautaire. Mais il illustre le degré de démoralisation sociale et d'aliénation atteint depuis le commencement de la Révolution tranquille.

CHAPITRE VIII

L'économie anglaise et le nationalisme français

Le romancier Hugh MacLennan a utilisé, comme titre de roman, l'expression *Les Deux Solitudes* pour décrire la façon dont les deux communautés linguistiques du Québec coexistaient sur le même territorie mais menaient des existences séparées et indépendantes l'une de l'autre. L'expression, qui décrit une situation sociale, pourrait tout aussi bien s'appliquer à l'ensemble de l'activité économique, dont la gestion est apparue depuis quelques années comme un des principaux points de tension entre les deux communautés.

Une des conséquences de la Conquête fut la création de deux économies parallèles. Une était anglaise. Elle reprit la voie tracée par l'ancien Empire français qui favorisait une expansion vers l'Ouest, et elle s'appuyait sur des capitaux et des marchés britanniques. L'autre économie était française. Elle ne possédait qu'un caractère local et n'avait aucun rayonnement au-delà des frontières invisibles de la langue et de la culture. Ce modèle survécut jusqu'au XXᵉ siècle, en dépit d'une participation française accrue à l'économie canadienne. Il était très difficile de se débarrasser de l'idée qu'Anglais et Français étaient faits pour des tâches et des fonctions différentes, et c'est pourquoi les mentalités n'ont évolué qu'à petits coups.

Il apparut dès le début de la Révolution tranquille que les deux solitudes ne pouvaient plus coexister. L'économie française au Québec était appelée à se moderniser pour servir de point d'appui à la nouvelle société urbaine dont il fallait commencer à s'occuper. Il y avait à ce moment un désir général de rassembler tous les leviers du pouvoir et de les placer sous le contrôle de la majorité politique au Québec.

Le gouvernement fédéral constituait la cible la plus importante et la plus visible. On jugeait que son pouvoir d'imposer et de dépenser était excessif, et qu'il allait à l'encontre du développement harmonieux de la province. On formulait de sérieuses objections à la manière dont Ottawa établissait des programmes nationaux dans des domaines comme la santé, l'éducation, l'aide sociale, qui étaient de compétence provinciale. Sous-jacente à ces critiques était l'idée que les pouvoirs du gouvernement fédéral étaient utilisés de manière à promouvoir le développement économique de l'Ontario, au détriment du Québec aux prises avec des industries reposant sur une main-d'œuvre à bon marché et sur une technologie désuète. Cette vue négative du fonctionnement du système fédéral canadien incita les hommes politiques et les nouveaux technocrates québécois à vouloir « rapatrier » le pouvoir économique au profit de la majorité française du Québec.

Tout en conservant une attitude favorable au nouveau régime à Québec, l'élite financière de Montréal commença à manifester une certaine inquiétude devant la fougue réformiste du gouvernement Lesage. Il lui apparut que l'affrontement politique contre les centralisateurs fédéraux était d'un ordre tout à fait différent des revendications autonomistes formulées antérieurement. Les attaques contre le gouvernement central manifestaient une volonté de pouvoir inusitée au Québec français. À une époque où les dépenses publiques augmentaient à un rythme étourdissant, l'attitude du nouveau gouvernement ne pouvait signifier qu'une tentative délibérée de réaliser la décentralisation de l'administration publique et, par conséquent, de l'économie canadienne. Ce que les milieux d'affaires redoutaient était la balkanisation d'une économie qui avait peine à subir la concurrence étrangère. La fragmentation de l'autorité politique, des pouvoirs de réglementation et de la politique fiscale ne pouvait qu'affaiblir les grandes sociétés nationales qui comptaient sur un pouvoir centralisé pour assurer leur essor. Le régionalisme québécois perturbait la cohésion du système canadien.

L'inquiétude des milieux financiers se mua en opposition dès que le gouvernement Lesage commença à vouloir affirmer un plus grand contrôle sur l'économie provinciale. La campagne menée en faveur de la nationalisation des compagnies d'électricité par René Lévesque, alors ministre des Richesses naturelles, provoqua une animosité sans précédent. Pour contrecarrer ce projet, on eut recours, en quelques occasions au « dumping » d'obligations provinciales, en guise d'avertissement. Le marché étant déjà saturé d'obligations du Québec, à cause des emprunts massifs destinés à moderniser le système d'éducation et étendre le réseau routier, le gouvernement Lesage dut déclencher des élections générales pour obtenir un mandat non équivoque et trancher la question.

La campagne électorale eut pour thème « Maîtres chez nous ». Le gouvernement fut réélu avec une forte majorité et procéda à la réalisation de ce que l'Ontario avait fait un demi-siècle plus tôt. Mais afin de recueillir les fonds nécessaires, le gouvernement dut recourir aux marchés financiers américains. Les banques et les compagnies d'assurances canadiennes, qui avaient le plus à perdre d'une balkanisation de l'économie canadienne, étaient peu disposées à prêter leur concours.

C'est à ce moment que l'on put voir se dessiner ce conflit entre le gouvernement du Québec et les milieux d'affaires canadiens qui allait remettre en question l'ordre économique traditionnel. Les hommes politiques et les fonctionnaires supérieurs de l'administration provinciale avaient déjà dressé un plan d'action. Si les Québécois de langue française allaient conquérir leur espace économique, cela devait se faire au moyen de leurs ressources collectives dont la principale était sans doute l'immense réservoir des fonds publics. Le premier pas dans cette direction, fort timide, fut la création de la Société générale de financement.

Un geste décisif fut le refus de participer au régime de rentes du Canada et la création d'un régime québécois analogue. Ceci entraîna la fondation de la Caisse de dépôts et de placements, destinée à recueillir les cotisations prélevées sur les salaires et les revenus. Grâce aux fonds immenses mis à sa disposition, la Caisse pouvait investir dans l'industrie québécoise et servir de moteur à l'économie. La Caisse devait aussi investir dans des obligations provinciales, ce qui permettait de compenser les pressions gênantes exercées par les institutions prêteuses du Canada. Le gouvernement du Québec acquit une certaine indépendance à l'endroit des marchés financiers canadiens qui ne voyaient pas ces initiatives d'un très bon œil.

Un autre pas important fut la création d'une sidérurgie québécoise destinée à redresser une conjoncture provinciale défavorable. La croissance économique du sud de l'Ontario attirait des industries établies à Montréal depuis longtemps, et reflétait une forte tendance vers la concentration des économies canadiennes et américaines autour des Grands Lacs. Dès le début des années 60, les autorités québécoises avaient conscience du problème que posaient le lent déclin de Montréal et ses répercussions sur l'ensemble de l'économie provinciale. C'est dans ce contexte que l'on procéda à l'achat de DOSCO, l'ancienne Dominion Steel and Coal Corporation, dont la santé était plus que chancelante. On voulait en faire le noyau d'une sidérurgie québécoise capable de défier les structures de prix déterminées par les producteurs ontariens et favorables à leurs intérêts propres.

Afin de créer un marché captif qui rentabiliserait autant que possible l'exploitation de la nouvelle société Sidbec, on imagina de forcer les administrations tributaires des fonds publics, comme les commissions scolaires et les municipalités, à exiger de leurs entrepreneurs qu'ils s'approvisionnent auprès de Sidbec. C'était une forme de protectionnisme provincial qui venait renforcer les tendances centrifuges au Canada. La balkanisation de l'économie nationale devenait une menace réelle dès que les politiques québécoises commençaient à s'attaquer à la centralisation et à la concentration qui favorisaient l'Ontario.

Les réactions des milieux d'affaires devant les nouvelles tendances qui se manifestaient au Québec, furent empreintes de contradictions. D'un point de vue positif, il y eut une réaction spontanée à promouvoir un plus grand nombre de francophones à la direction des entreprises, afin de conserver les meilleurs contacts possibles avec ce gouvernement qui devenait progressivement plus actif et plus fort. Par pure coïncidence, cette mesure allait au-devant des revendications nationalistes en ce qui a trait aux possibilités de carrière dans la grande entreprise. Mais ce nouveau visage français ressortissait plutôt à la chirurgie esthétique et ne reflétait nullement une volonté de réviser le partage traditionnel du pouvoir entre Anglais et Français.

D'un point de vue négatif, l'opposition au régionalisme québécois se manifesta par une contraction du

145

marché des obligations du gouvernement du Québec. Les banques, les compagnies d'assurances et de fiducie, les administrateurs de régimes de retraite privés, tous manifestèrent une réticence croissante à investir dans les obligations du Québec. Le gouvernement était dans l'obligation de consentir des taux d'intérêt supérieurs à ceux des autres provinces pour éviter les marchés étrangers. Dès le milieu des années 60, Québec commençait à être perçu comme un mauvais risque, que l'on pouvait inclure dans un portefeuille comme un placement spéculatif et bien rémunéré. Les taux d'intérêt élevés constituaient aussi un avertissement au gouvernement québécois que sa politique régionaliste n'était pas entièrement acceptable.

Cette méthode discrète de traiter un gouvernement récalcitrant se montra totalement inefficace en ce qui a trait au Québec. Quoique ces tentatives d'intimidation fussent rarement discutées en public, elles finirent par avoir un effet très négatif sur certains éléments de la classe moyenne française. Elles aliénèrent ceux qui transigeaient des valeurs mobilières chez différents courtiers, et qui se trouvaient au départ très bien disposés à l'égard des milieux d'affaires anglophones. En outre, des fonctionnaires supérieurs de l'administration provinciale dotés d'une influence considérable sur la marche des affaires publiques prirent conscience de l'affrontement qui devenait peu à peu inévitable.

Pour une bonne partie de la classe moyenne française, il était dès lors évident que les milieux financiers anglophones de Montréal et du Canada résisteraient vigoureusement à toute tentative de modifier l'orientation générale de l'économie québécoise, et ses relations avec l'Ontario, plus fort et plus évolué. C'est ainsi que les réactions négatives des milieux financiers, particulièrement celles de la Banque de Montréal et de A. E. Ames & Co., de Toronto, aidèrent à transformer le régionalisme québécois en nationalisme français.

146

En 1966, le gouvernement Lesage fut défait lors d'une élection générale. L'opinion à l'époque était que les libéraux avaient procédé trop rapidement à la modernisation de la société québécoise et qu'ils avaient effrayé les contribuables avec des programmes de dépenses imprudents. Le gouvernement de l'Union nationale qui lui succéda se montra incapable d'endiguer les dépenses publiques. De plus, le Premier ministre Daniel Johnson sema l'inquiétude dans les milieux financiers avec ses méditations publiques sur l'égalité et l'indépendance, sur la nécessité de réglementer l'usage des langues, ou encore sur l'inopportunité d'une muraille de Chine autour du Québec. Son successeur, Jean-Jacques Bertrand, dut faire face à des émeutes linguistiques et trancha la question en faisant voter une loi confirmant le libre choix de la langue d'enseignement. Le gouvernement semblait aller à la dérive alors que la population manifestait une soif de plus en plus grande pour des projets nationalistes.

L'élection du Parti libéral, au printemps 1970, promettait un regain de stabilité. Le nouveau Premier ministre, Robert Bourassa, ayant fait campagne en faveur de politiques de plein emploi et d'assainissement des finances publiques, démontra à la satisfaction de la communauté anglaise sa compréhension de la véritable nature des problèmes qui se posaient au Québec. La théorie que l'on avançait le plus souvent dans les milieux anglais pour expliquer le déplorable état dans lequel se trouvait la province était que la démagogie et l'incompétence administrative stimulaient les sentiments nationalistes de la population. Ces milieux avaient bon espoir qu'une nouvelle administration plus efficace et plus sensible aux questions économiques serait en mesure de promouvoir un genre de progrès où les deux groupes linguistiques du Québec trouveraient leur compte.

Cette vue des choses était partagée par le Premier ministre et par ses principaux conseillers lorsqu'ils assumèrent le pouvoir. Ils se montrèrent tous convaincus que le meilleur dissolvant des tensions sociales était le progrès économique. Mais cette conception naïve des relations entre groupes ne résista pas à l'épreuve de la réalité. La masse d'information dont disposaient ceux qui exerçaient le pouvoir eut tôt fait de démontrer qu'il y avait une certaine justification pour le ressentiment collectif qu'exprimait la population, et pour son angoisse face à son avenir culturel.

Avant longtemps, le gouvernement Bourassa se mit à adresser des reproches discrets à certaines entreprises nationales établies à Montréal et dans d'autres villes du Québec. Le principal grief portait sur le fait que ces entreprises avaient peu le souci de s'intégrer à la société québécoise. C'était une manière voilée de dire qu'elles pratiquaient une certaine discrimination à l'égard des francophones et, plus spécifiquement, qu'elles devaient utiliser davantage les services de conseillers, fournisseurs, sous-traitants et autres spécialistes francophones.

Les réseaux d'affaires établis par les grandes sociétés nationales conservaient un caractère presque exclusivement anglophone et, dans une grande proportion des cas, orienté vers l'Ontario. Ceci démontrait clairement que les francophones nommés à des postes de commande dans ces entreprises ne jouissaient d'aucun pouvoir réel puisqu'ils n'avaient pas réussi à influencer de façon perceptible les politiques d'achat et d'utilisation de services en vigueur dans leur propre entreprise. Le Premier ministre, qui était engagé dans une ambitieuse politique de plein emploi, comprit facilement qu'une nouvelle répartition des contrats et des affaires transigées par les grandes sociétés canadiennes en faveur de Québécois francophones contribuerait à réduire le chômage qui minait le fonctionnement des institutions politiques.

Les autorités provinciales en vinrent donc à la conclusion que la mentalité ethnocentrique des Anglo-protestants et leur sentiment de supériorité sur les Franco-catholiques constituaient des obstacles réels au progrès du Québec. Généralement, les membres de la communauté anglaise ne font guère affaire avec des établissements français, exception faite de ce qui touche à la mode, à la restauration et aux services personnels. La réticence est plus grande en ce qui a trait aux services financiers. Par exemple, malgré le fait que les caisses populaires se soient montrées beaucoup plus modernes que les banques à charte dans des domaines comme les prêts personnels, les transactions inter-caisses et l'utilisation des ordinateurs, leur clientèle demeure presque exclusivement française. Or, les comportements de la vie privée se transposent au travail et en affaires, et ils se muent en normes institutionnelles. Les grandes sociétés reflètent inévitablement les attitudes et les préjugés des milieux où se recrutent leurs principaux dirigeants.

Parmi les francophones, il y a toujours eu une disposition à accepter les jugements défavorables prononcés à leur endroit par les anglophones dont les talents de gestionnaires et de financiers étaient reconnus de tous. Pour cette raison, les francophones ont souvent préféré faire affaire avec des institutions anglophones plutôt qu'avec les leurs, et y ont même cherché des carrières plus intéressantes. C'est ce type de comportement qui a gêné dans une certaine mesure le développement d'un secteur économique francophone qui eût pu s'affirmer à l'intérieur du Québec.

Comme le comportement des sociétés nationales reposait sur des attitudes souvent inconscientes, il était assez difficile pour le gouvernement d'obtenir des changements significatifs. Comme pour les préjugés véhiculés par un système de promotion au mérite, ceux de la grande entreprise étaient invisibles, sauf pour ce qui était de leurs résultats. Mais les autorités provinciales étaient sujettes à des pressions de plus en plus vives visant à corriger cet état de choses. La Commission d'enquête fédérale Laurendeau-Dunton ainsi que la Commission Gendron au niveau provincial avaient toutes deux contribué énormément à hausser les attentes nationalistes de la population. Peu à peu la nécessité de légiférer pour la promotion et la protection de la langue française s'imposa.

Les dirigeants d'entreprises manifestèrent rapidement leur inquiétude devant l'évolution de l'opinion au Québec, d'autant plus que la plupart étaient complètement ignorants de la société française et avaient peu de contact avec elle. C'est pourquoi le Premier ministre Robert Bourassa rencontra une résistance farouche lorsqu'il entreprit une série de consultations privées destinées à l'éclairer sur les effets possibles d'une loi sur la langue. On lui fit savoir de façon très directe que la gestion des affaires et la recherche scientifique étaient deux domaines où l'usage de l'anglais était vital et d'une supériorité incontestable. L'argument décisif fut que toute intervention législative provoquerait l'exode des sièges sociaux établis à Montréal, ainsi qu'une fuite de capitaux. Le Premier ministre fut donc contraint de choisir entre le nationalisme et l'économie, comme si l'un et l'autre s'excluaient mutuellement. Il se mit donc à la recherche d'une voie moyenne.

La Loi 22 trouva sa justification principale dans les tendances démographiques contraires aux intérêts de la société française. Elle chercha à préserver l'avantage numérique des francophones au Québec en freinant l'intégration des immigrants à la communauté anglaise. Le moyen choisi fut de restreindre l'accès à l'école anglaise à ceux qui savaient déjà cette langue. Par ailleurs, la loi ne donna lieu qu'à de timides efforts pour obtenir la francisation des entreprises. Cette stratégie s'inspirait de la conviction libérale que la francisation se réaliserait progressivement dans les entreprises en commençant par le bas, et que la coercition brusquerait inutilement les choses. La francisation de la main-d'œuvre entraînerait fatalement celle des employeurs. Les hommes d'affaires anglophones, malgré leurs préventions culturelles et idéologiques, étaient conscients de la nécessité de faire certaines concessions au nationalisme, ainsi que de l'irréversibilité de certaines tendances historiques. Ils s'abstinrent de critiquer la Loi 22 trop ouvertement afin de ne pas nuire à un gouvernement qui au fond faisait un effort louable pour redresser la situation économique.

La violence de la réaction publique contre la Loi 22 prit le Premier ministre Bourassa complètement par surprise. Il savait fort bien que les éléments nationalistes l'accuseraient de négliger certains aspects essentiels de la survivance française, mais il comptait que leurs protestations seraient noyées par l'approbation de ce qu'on nommait alors la majorité silencieuse. Le Premier ministre était confiant que la communauté anglaise accepterait dans un esprit de réalisme certains ajustements dans ses relations avec la majorité politique au Québec. C'est à ce sujet qu'il commit une grave erreur qui mit son gouvernement en péril.

La loi fut rédigée selon l'hypothèse que le milieu des affaires était représentatif de la communauté anglaise et pouvait parler en son nom. Rien ne laissait soupçonner qu'il pût en être autrement, et que cette identité de vues entre la population anglaise et son élite financière, que l'histoire avait forgée, eût cessé d'exister. Or, la centralisation et la bureaucratie avaient coupé les liens organiques qui reliaient les chefs d'entreprises aux institutions communautaires. Les liens psychologiques avaient également été rompus par l'identification de plus en plus étroite entre le salarié et l'entreprise pour laquelle il travaillait, évolution qui s'était accomplie au détriment des liens communautaires. En outre, les grandes sociétés nationales, dont les centres de décision se concentraient de plus en plus à Toronto, n'étaient que trop heureuses de voir le fardeau de l'accommodement au nationalisme reporté sur des immigrants établis à Montréal. C'est ainsi que le refus d'accepter un partage du pouvoir économique poussa les milieux d'affaires à laisser passer des restrictions sur l'école anglaise qu'ils n'auraient jamais tolérées en d'autres temps et dans d'autres circonstances.

L'existence de cette faille n'échappa pas aux éléments nationalistes qui constatèrent que la communauté anglaise était soudainement incapable de résister aux pressions de la majorité française. La plupart de ceux qui entretenaient quelque sentiment nationaliste eurent tout à coup l'intuition que l'on pourrait arracher bien davantage que ce qu'avait réalisé le Premier ministre Bourassa avec l'assentiment plus ou moins forcé du milieu des affaires. À partir de ce moment, le Premier ministre était perdu. Dès qu'il devint l'objet de propos injurieux de la part du public et de la presse anglophones, et dès qu'il fut abandonné par les nationalistes qui se rallièrent au Parti québécois, plus rien ne pouvait sauver la situation. Après l'élection du Premier ministre René Lévesque en 1976, l'opinion générale était que les intérêts culturels français et les intérêts économiques anglais étaient irréconciliables.

L'aliénation des élites financières et industrielles de l'ensemble de la communauté anglaise fut un processus lent et graduel dont l'aspect le plus visible fut le déplacement du centre économique du pays vers l'ouest. Déjà vers 1930, Toronto prenait le dessus sur Montréal comme centre financier, grâce à l'expansion industrielle du sud de l'Ontario. Un leadership faible et un manque d'initiative à Montréal donnèrent lieu à maintes occasions perdues, comme le développement de l'Abitibi qui fut laissé entre les mains de promoteurs de Toronto. C'est dans ces conditions que prit fin le rôle historique de Montréal et de ceux qui, pendant plus de deux cents ans, furent identifiés à sa puissance économique.

La perte de pouvoir économique et social subie par la communauté anglaise ne fut pas ressentie immédiatement, ni par elle ni par d'autres. Elle conservait une grande partie de son ascendant au Québec. Les élites financières et industrielles de Montréal devinrent tout simplement des intermédiaires entre les principaux centres de décision situés à Toronto et la main-d'œuvre comme le marché québécois. La communauté anglaise conserva un quasi-monopole des postes de direction dans plusieurs industries, notamment celles où le capital et la technologie jouent un rôle prépondérant.

Personne n'avait entrevu la possibilité que le déclin de Montréal modifie les relations entre l'élite économique anglaise et la population française du Québec, particulièrement la classe moyenne. L'opinion la plus répandue aujourd'hui attribue la stagnation de Montréal à l'insécurité que provoquent le nationalisme et le séparatisme. Depuis plusieurs années, les milieux d'affaires anglophones soutiennent que le climat serait meilleur pour les investissements si les Canadiens français modéraient leurs exigences irréalistes quant au contrôle de l'économie et à la francisation des entreprises. Or, c'est la relation inverse qu'il faut établir entre le climat économique et le nationalisme.

En réalité, c'est le déclin de Montréal qui alimente le nationalisme. La stagnation locale qui résulte du déplacement des centres d'activité économique pousse un nombre croissant de personnes à s'interroger sur la nature des liens qui unissent le Québec au reste du pays, et particulièrement à l'Ontario. Il est inévitable dans ces circonstances que l'on examine et que l'on conteste le rôle joué par la communauté anglaise dans la gestion de l'économie provinciale.

Aussi longtemps que cette communauté conservait son emprise sur l'ensemble de l'économie canadienne, sa situation au Québec était sûre et inattaquable. Mais dès que l'élite financière de Montréal devint simple exécutante de décisions entérinées ailleurs, la situation devint peu à peu intenable. Ce changement ne se produisit pas du jour au lendemain, et il ne commença à être visible que vers 1960, ceci seulement pour une minorité parmi les hommes d'affaires et les intellectuels de langue française. Les élites anglaises, qui ne devaient leur situation prééminente à Montréal qu'à leurs réalisations historiques plutôt qu'à leurs mérites et à leurs qualités d'aujourd'hui, devinrent graduellement des rivaux encombrants dans la poursuite de carrières. C'est ainsi que commença l'offensive discrète de la classe moyenne française pour les déloger des postes qu'ils détenaient collectivement aux échelons supérieurs des entreprises canadiennes faisant affaires à Montréal. Au moment où le Premier ministre Robert Bourassa lançait ses consultations privées préliminaires à l'adoption de la Loi 22, la très grande majorité des francophones s'attendaient déjà à ce que l'économie du Québec devienne française dans sa gestion. Le problème, tel qu'on le voyait, était de ne pas entraver son fonctionnement par une transition trop brusque.

Le déclin de la communauté anglaise a aussi eu une influence directe sur la politique fédérale. Libéraux, conservateurs et néo-démocrates se sont tous ralliés graduellement à l'idée que le Québec devait être aussi français que l'Ontario et les autres provinces étaient anglaises. Cette évolution représente un écart considérable par rapport à l'esprit de l'Acte de l'Amérique britannique du Nord qui accordait sa protection à la communauté anglo-protestante du Québec. Elle fut renforcée considérablement par l'opposition, qui se manifestait dans les provinces situées à l'ouest du Québec, aux politiques de bilinguisme du Premier ministre Pierre Trudeau.

Une nouvelle vision du Canada s'implanta: un pays fait de deux parties unilingues, l'une anglaise et l'autre française. Les gouvernements des provinces anglophones avaient tout intérêt à promouvoir cette conception du Canada: elles n'étaient pas disposées à assumer le fardeau administratif et financier de toute la gamme des services sociaux et éducatifs en langue française. La communauté anglaise de Montréal ne reçut que peu d'appui de l'extérieur du Québec et se trouva donc dans un isolement politique presque complet. L'élection du Parti québécois entraîna une intensification des restrictions imposées à l'anglais dans le domaine de l'éducation, de l'affichage et de la langue d'usage dans les entreprises. Le Premier ministre René Lévesque, qui avouait être quelque peu embarrassé par certains aspects oppressifs de la Loi 101, proposa aux autres provinces un élargissement réciproque des droits linguistiques. Mais elles refusèrent ce genre de marché.

S'il subsistait encore quelque doute quant à l'évolution linguistique future du Québec, ils mirent peu de temps à se dissiper après l'élection du Parti québécois. Les seules questions à ne pas recevoir de réponses immédiates étaient la durée de la période de transition vers une société unilingue et l'importance numérique de la population anglophone demeurant au Québec une fois cette transformation réalisée.

Les grandes entreprises canadiennes ne pouvaient vivre dans l'incertitude. De nombreux facteurs s'imposèrent pour commander le réaménagement des fonctions de direction dans des centres hors du Québec: la difficulté de muter des cadres à Montréal et son isolement progressif du reste du pays; l'absence anticipée de services auxiliaires en langue anglaise pour la grande entreprise, et l'hostilité à peine voilée des autorités provinciales. Certaines sociétés, comme les banques à charte, ont transféré leurs principaux services à Toronto, ne laissant à Montréal qu'un siège social purement symbolique. D'autres imitèrent l'exemple du Trust Royal qui constitua une nouvelle société mère pour gérer tous les actifs non québécois qu'elle transféra à Calgary. D'autres encore, comme la compagnie d'assurances Sun Life, firent un esclandre politique en déménageant leur siège social dans le but de punir et d'intimider le gouvernement provincial. Mais la plupart des entreprises qui quittèrent le Québec, le firent discrètement. Le thème sous-jacent à ce genre de retraite était que le nationalisme nuisait à l'essor de la province.

Les deux solitudes qui coexistèrent si longtemps sur le même territoire se séparent géographiquement. De plus, on concède au Québec le droit à une économie française où l'usage de l'anglais est réservé aux communications avec l'extérieur. Mais alors que la population française perçoit la francisation comme le moyen d'assurer un développement économique plus harmonieux et plus conforme à ses intérêts, du côté anglais, c'est l'inverse qui paraît évident: en se détachant de l'économie nationale, le Québec s'appauvrit et court le risque de tomber dans le désordre politique.

Durant cette période de désengagement entre Anglais et Français, l'économie du Québec conserve encore cette dualité qu'elle avait acquise à la suite des initiatives de la Révolution tranquille. Une partie de l'économie se trouve entre les mains d'institutions collectives telles que le gouvernement provincial et ses diverses agences et commissions, les sociétés de la Couronne, les sociétés mixtes, ainsi que le puissant mouvement des Caisses populaires Desjardins. L'autre partie de l'économie, à part la petite et moyenne entreprise qui est surtout française, est constituée des grandes sociétés nationales dont les exploitations québécoises sont structurées de façon à être semi-indépendantes, et sont confiées de plus en plus fréquemment à des francophones. Tandis que le secteur public et semi-public s'inspire de l'esprit collectiviste et d'un désir de contrôle à des fins nationalistes, l'autre secteur souscrit à l'idéologie de l'entreprise privée et épouse encore les valeurs des gestionnaires anglophones sur leur départ. Pour le moment ce sont deux univers antagoniques.

On peut s'attendre, toutefois, qu'avec le temps ils composent l'un avec l'autre et réalisent une union du politique et de l'économique qui n'a jamais existé au Québec à ce jour. Ceci se produira quand les gestionnaires français des filiales de grandes sociétés canadiennes et américaines établiront peu à peu leurs propres réseaux de conseillers, de fournisseurs et de sous-traitants. Les filiales québécoises auront une tendance de plus en plus marquée à affirmer leur indépendance à l'endroit du siège social ou de la société mère, surtout si ceux-ci sont situés hors du Québec, et si des différences culturelles sensibles commencent à se manifester dans les attitudes et les pratiques administratives. Cette nouvelle situation contribuera possiblement à prolonger au-delà des structures constitutionnelles et politiques actuelles l'affrontement entre Anglais et Français dont l'enjeu est le contrôle de l'économie du Québec.

CHAPITRE IX

Les media anglophones et l'angoisse collective

On attribue souvent à la presse écrite, à la télévision et à la radio une mission éducative auprès du public. On s'attendrait, dans cette optique, que les media anglophones s'efforcent d'explorer les différentes possibilités de rapprochement avec la population française. Mais c'est tout le contraire qui se produit: leur action à cet égard contribue surtout à accroître l'angoisse de la population qu'ils desservent, et à cultiver son sentiment d'impuissance et d'isolement. En fait, leur façon de traiter les événements québécois est si négative qu'ils encouragent l'exode qui va les priver de leur public. La présentation des événements et des tendances est une incitation à rechercher un climat plus serein et plus hospitalier que le Québec. De plus, leur attitude extrêmement agressive sur toutes les questions touchant les droits historiques et constitutionnels de la communauté anglaise tend à valoriser les positions extrêmes de part et d'autre, et à dévaloriser toute proposition visant à la conciliation et au compromis.

L'évolution des quinze ou vingt dernières années a rendu les media, et particulièrement la presse écrite, incapables d'agir comme leaders de l'opinion, comme ils en avaient le pouvoir autrefois. Ils sont devenus, en quelque sorte, les réflecteurs ou les amplificateurs de l'humeur populaire. Il est pratiquement impossible maintenant pour des quotidiens à grands tirages, dépendants de la publicité, d'exprimer des points de vue allant systématiquement à l'encontre de ceux de leurs lecteurs. On aurait tort, cependant, de croire que de puissants intérêts économiques infléchissent le contenu des journaux de façon qu'ils expriment des attitudes hostiles à la majorité française et à ses attentes, ou encore que les annonceurs exercent une influence sinistre sur les chefs d'information.

Le comportement des media s'explique différemment. L'information et la publicité font toutes deux partie d'une projection de la société à l'intérieur de laquelle les lecteurs peuvent reconnaître l'image qu'ils se font d'eux-mêmes, de leurs aspirations et de leur environnement. Le temps où la fonction d'un journal était de transmettre une information objective est aujourd'hui révolu. Seule une minorité de lecteurs s'intéressent encore aux événements politiques, à l'actualité économique, à la politique internationale ou aux déclarations de personnages célèbres. C'est ce qui fait la différence entre un journal de masse et un journal de public.

La grande majorité des lecteurs de quotidiens de masse recherche l'illusion de la participation à un vaste théâtre où l'événement et la consommation se confondent. Les lecteurs scrutent inconsciemment les journaux afin de définir leur place dans la société qui les entoure, et pour y découvrir des indices qui vont leur suggérer quoi

160

penser et comment se comporter, se vêtir et se divertir. Ils s'attendent que les journaux viennent renforcer leur vue du monde, et non pas la contrarier ou la contredire. Dans ces circonstances, la publicité n'est pas seulement un complément à l'information; elle devient elle-même information; sur la mode, les spectacles, la politique, les produits les plus divers, et sur une foule d'activités qui donneront à chacun l'impression de vivre dans une société intéressante et dynamique. La publicité dépasse le cadre de la promotion commerciale. Elle devient la description d'un état d'aisance et de loisir à laquelle tous se réfèrent. La publicité ne saurait donc être dissociée des autres éléments de l'information que véhiculent les media: nouvelles politiques et sportives, éditoriaux, faits divers et rubriques variées.

La population anglo-protestante de Montréal possède des caractéristiques uniques au Canada qui ont attiré l'attention des media et des agences de publicité. Ce groupe, qui occupe les meilleurs postes dans l'industrie et la finance, est également le mieux instruit et le plus fortuné au Canada. Il représente de ce fait un marché publicitaire de première valeur. La prééminence et les réalisations matérielles de ce groupe font qu'il devient un modèle social pour les autres, comme les Juifs, les différentes communautés ethniques, les immigrants nouvellement arrivés, et même pour une partie importante de la population française. En d'autres termes, les Anglo-protestants exercent une influence considérable sur tous les ambitieux aspirant à améliorer leur situation sociale.

Les media anglophones vont donc présenter l'information, c'est-à-dire les nouvelles et la publicité, de façon à renforcer les attitudes sociales et le style de vie du groupe dominant. Les lecteurs et les auditeurs ne seront évidemment pas contrariés par la publicité et ils ne devront pas l'être non plus, au-delà de certaines limites, par la présentation des nouvelles. C'est là un obstacle important à toute saine discussion des affaires publiques,

161

à une connaissance plus approfondie du milieu, et à des compromis réalistes avec des rivaux économiques qui en l'occurrence jouissent de l'appui de l'État provincial. Les media renforcent les attitudes saines ou malsaines de l'heure.

La capacité d'adaptation de la population anglophone est entravée aussi par l'absence d'une véritable tradition de débats publics autour de la gestion des institutions communautaires comme les écoles, les universités, les hôpitaux, les agences d'aide sociale, et même les administrations municipales. Ceci s'explique par le fait que l'intérêt des anglophones au Canada s'est concentré historiquement sur le développement de l'économie dont le caractère promotionnel et spéculatif portait vers les décisions élitistes et secrètes. Les institutions communautaires n'ont pas échappé à cette façon d'agir. Le comportement collectif de la population anglaise a donc toujours tendu vers la suppression de toute discussion publique et vers le rejet de toute critique comme étant une manifestation d'un esprit excentrique ou extrémiste.

La société française au Québec exhibe sensiblement le même comportement élitiste et hiérarchique, à la différence que la marginalisation de l'opposition est plus difficile à réaliser. L'opposition peut y survivre plus facilement grâce à l'existence de sanctuaires politiques qui ont toujours existé à sa périphérie, et dont le meilleur exemple fut Radio-Canada durant les années 50, alors que le Premier ministre Maurice Duplessis exerçait un contrôle tyrannique sur l'opinion publique.

Le journalisme anglo-québécois se concentre sur l'aspect événementiel de l'actualité plutôt que sur son aspect dynamique. Il préfère insister sur la menace du nationalisme, plutôt que de proposer des changements qui permettraient une résistance plus efficace au harcèlement des autorités provinciales. Sa crainte du changement et même de l'adaptation en fait le porte-parole d'un ordre révolu, d'une élite économique dont l'allégeance ne va même plus à Montréal.

La qualité du journalisme dans les media anglophones est affectée aussi par l'indifférence du public à l'égard de la société française, exception faite du nationalisme et du séparatisme. Jusqu'en 1960, la politique québécoise était perçue comme une activité qui ne pouvait intéresser que la population française. Jusqu'à ce moment, les institutions communautaires anglaises conservaient leur indépendance et n'avaient que très peu de contacts avec les autorités provinciales. Quant au monde des affaires, ses problèmes se réglaient surtout en coulisse et faisaient rarement l'objet de lobbying public ou de campagnes publicitaires. Les décisions jugées les plus importantes émanaient du gouvernement fédéral qui était considéré comme le véritable centre de l'activité politique. En dépit d'un accroissement considérable des pouvoirs du gouvernement provincial, cette conception de la politique se perpétua au-delà de 1960 et de la Révolution tranquille. En dépit du fait qu'ils étaient appelés à payer des impôts de plus en plus lourds à la province, et malgré le fait qu'une administration réformiste et bureaucratique prenait graduellement le contrôle de leurs institutions communautaires, les électeurs anglophones ne pouvaient s'imaginer que la politique provinciale pouvait offrir quelque chose d'important ou d'intéressant.

Cette attitude prend ses racines dans la Confédération même. Le pacte constitutionnel de 1867 était destiné à satisfaire deux exigences fondamentales. La première était la nécessité de reconnaître à la population française une certaine autonomie dans l'aménagement de ses propres institutions; la seconde, le désir de mettre les décisions importantes affectant l'avenir économique du Canada hors de portée de la majorité française, et à l'abri du genre d'obstruction politique qui s'était exercé sous le régime de l'Union et sous celui de l'Acte constitutionnel de 1791. Cette division ingénieuse des compétences fédérales et provinciales demeura imprimée dans l'esprit anglo-québécois à venir jusqu'à tout récemment, et elle contribue encore aujourd'hui à modeler les attitudes politiques.

Devant la résistance de leurs lecteurs, les quotidiens anglophones éprouvent certaines difficultés à présenter une couverture équilibrée de ce qui se passe au Québec, et particulièrement dans la société française. Il ne leur est pas toujours possible de réprimer l'expression de sentiments d'animosité et parfois d'hostilité à l'égard de la population française. Ceci tend à circonscrire la pensée politique à une résistance au nationalisme et à toute expansion de la sphère d'intérêts francophones.

Il existe de vagues souvenirs collectifs d'une opposition française au progrès économique et des tentatives faites en certaines occasions pour le saboter. Aujourd'hui, on s'inquiète des effets que le nationalisme peut avoir sur la marche des affaires, et l'inquiétude est d'autant plus grande que la communauté anglaise retient encore l'idée d'un certain droit de propriété sur ce domaine particulier. Le départ des sièges sociaux hors de la province, en plus d'affecter la viabilité de la communauté anglaise, force ses membres à repenser leur avenir personnel, ce qui n'est pas toujours facile dans des périodes de tensions sociales.

Le sentiment qui s'exprime le plus difficilement parmi la communauté anglaise est celui de l'aliénation. Les liens que les institutions communautaires contribuaient à maintenir se sont affaiblis au fur et à mesure que la présence française se faisait sentir et empiétait sur l'univers anglo-protestant. La résistance aveugle à tout ce qui semble menaçant chez la majorité française est issue de cette aliénation, et elle sert à masquer les nouveaux sentiments d'impuissance et d'isolement qui sont maintenant au centre de la conscience politique anglophone au Québec. Ce sont ces sentiments complexes que les media reflètent aussi fidèlement que possible, selon les exigences et les réticences de leurs publics respectifs.

Il existe aussi des facteurs propres aux media eux-mêmes qui contribuent à maintenir les discussions politiques dans des corridors étroits et prévisibles. Les plus importants ont rapport à la qualité de la gestion et à la nature des objectifs que l'on s'est fixés. À cet égard, la pressé écrite à Montréal — The Gazette et The Star qui a fermé ses portes le 25 septembre 1979 — sont particulièrement instructifs à cause de la manière dont ils reflètent l'image que leur public se fait de lui-même et de sa capacité à réagir dans un esprit constructif à une menace extérieure.

Ces deux quotidiens sont propriété de chaînes nationales, The Gazette, de Southam, et The Star, de FP Publications. Jusque vers la fin des années 60, ces deux quotidiens étaient demeurés entre les mains de grandes familles montréalaises. Mais celles-ci perdirent graduellement leur intérêt à poursuivre cet astreignant travail d'édition et de gestion. Les changements économiques et sociaux avaient enlevé à l'édition énormément de son prestige, de son influence et de ses profits. Ces familles n'avaient plus les relations nécessaires pour réunir les talents et les capitaux qui auraient assuré la survie de ces deux quotidiens. C'est pourquoi ceux-ci furent cédés à de grandes sociétés nationales engagées dans le domaine de l'information, une décision qui marquait la faiblesse croissante des élites anglaises de Montréal. Or, le changement de propriétaire n'entraîna aucun virage brusque au niveau de l'administration et de la rédaction. Chacun des deux quotidiens demeurait maître de ses décisions. Mais, en dépit de la discrétion des nouveaux propriétaires, des transformations extrêmement importantes eurent lieu à l'insu de tous.

Pendant longtemps, ces deux quotidiens avaient fait partie de ce réseau complexe de relations de pouvoir qui domina la vie canadienne jusqu'à ce que s'amorce le déclin de la ville de Montréal. L'entrée en scène de Southam et de FP Publications coïncida avec le moment où cette perte de pouvoir et d'influence devenait évidente pour tous. C'était le moment où on voyait l'économie québécoise devenir de plus en plus tributaire de celles de l'Ontario et des États-Unis, et où l'on pressentait qu'il faudrait éventuellement laisser les filiales québécoises entre les mains de gestionnaires francophones.

The Gazette et The Star durent abandonner leur identification étroite aux intérêts financiers, industriels et politiques. Ils se tournèrent alors résolument vers le marketing de l'information. Ceci voulait dire que la conception de la presse comme éducatrice et comme leader d'opinion, soutenue par une conception élitiste de la société, était devenue désuète. Évidemment, ces changements étaient déjà en marche mais la mainmise des chaînes nationales sur les deux quotidiens anglais de Montréal accéléra le processus et l'amena à sa conclusion. En même temps, l'orientation commerciale de plus en plus prononcée de ces quotidiens fit qu'ils se rapprochèrent davantage des attitudes générales de leurs lecteurs. Au lieu de diriger l'opinion selon les désirs des élites montréalaises, comme ils le faisaient autrefois, ils se mirent à la remorque de leur public. On rejoignit en cela, avec quelques années de retard, l'évolution qu'avait déjà suivie la majorité des journaux du Canada et des États-Unis.

La nouvelle situation commanda de nouvelles formes de journalisme. Au lieu de s'attacher à un rôle idéologique et éducatif, ces quotidiens devinrent de simples produits commerciaux devant donner satisfaction au plus grand nombre possible de consommateurs. Il fallut devenir intéressant plutôt que de rester instructif, et pour cela il était essentiel de maintenir une certaine variété dans le ton et dans la philosophie générale, ainsi que dans les sujets abordés et dans les idées énoncées. L'important était d'obtenir une présentation mieux équilibrée et plus diversifiée.

Ce genre de journalisme fait que les comptes rendus

ne recherchent plus la signification historique ou objective, mais s'efforcent d'obtenir le maximum d'effet auprès du lecteur. Selon l'humeur des temps, la présentation de la nouvelle s'accordera aux inquiétudes politiques et aux angoisses secrètes de certaines catégories de lecteurs, de même qu'aux besoins de divertissement et de réconfort, à la propension à trouver satisfaction dans l'expérience d'autrui que l'on retrouve dans d'autres catégories de lecteurs. On exploite la passivité du public en cherchant à provoquer chez lui une réaction affective, et en lui procurant l'illusion qu'il participe à la vie d'une société beaucoup plus vaste et plus vivante que celle qu'il connaît personnellement. Les quotidiens, dont la présentation devient de plus en plus semblable à celle des magazines, publieront de nombreuses rubriques destinées à calmer les doutes et les inquiétudes qui ont cours dans la vie sociale et en milieu de travail.

Ce qu'il importe à la direction de connaître, ce sont les caractéristiques de l'auditoire que l'on a déjà et de celui que l'on veut conquérir. La connaissance de ce qui peut faire l'objet de reportages et de commentaires est une préoccupation secondaire pour quiconque dirige un quotidien. Dans des villes comme Toronto et Vancouver, cela ne pose aucun problème, car connaître son auditoire, c'est aussi être au fait de l'actualité. Les deux se recouvrent presque parfaitement. Mais à Montréal, la situation est totalement différente. Une très grande proportion des nouvelles publiées dans un quotidien de langue anglaise proviennent de l'extérieur de la communauté anglaise, comme par exemple de l'hôtel de ville, ou du gouvernement provincial qui sont des institutions presque entièrement françaises. Connaissance de son auditoire et connaissance du milieu ne coïncident plus du tout. Lorsque *The Gazette* et *The Star* ont à recruter de nouveaux cadres, ils recherchent quelqu'un qui saura s'identifier aux attitudes politiques et sociales d'une majorité des lecteurs. La connaissance de la langue française, du milieu français et de ses institutions demeure une préoccupation négligeable.

Il n'existe aucune autre explication au fait que la très grande majorité des membres de la direction des salles de rédaction des deux quotidiens anglais de Montréal n'ont aucune connaissance de la langue majoritaire de la province dans laquelle ils vivent, ni de la société française qui, présentement, semble si menaçante. Les aptitudes du personnel de direction ne portent pas sur la source des informations que l'on publie mais sur la nature du produit que l'on livre aux consommateurs. Il s'agit de praticiens d'un journalisme à formule qui depuis fort longtemps a fait la réussite du *Toronto Star*.

Les quotidiens de langue française aussi ont subi une transformation semblable, passant de l'idéologie et de l'information au commercialisme et au sensationnalisme. Ce passage, toutefois, se heurta à l'opposition vigoureuse des journalistes et de leurs syndicats, et il donna lieu à plusieurs grèves. La plus dure d'entre elles fut sans doute celle qui paralysa *Le Soleil* de Québec, pendant dix mois, en 1977-1978. Les journalistes exigeaient certains droits de cogestion sur la salle de rédaction, et ils réclamaient un droit de véto sur la présentation de l'information.

Les revendications syndicales, lors de cette grève, furent formulées en termes radicaux et se présentèrent comme une condamnation de la société de consommation, du capitalisme et du libéralisme économique. Mais le syndicat avait des objectifs essentiellement conservateurs: maintenir la prééminence des intellectuels dans la société française, et écarter tous les rivaux qui pourraient surgir à la faveur du commercialisme et de l'utilisation des techniques de marketing. La grève du *Soleil* se situe donc dans le courant historique québécois qui a pris corps au début du XIXe siècle, et en vertu duquel gens de professions libérales et intellectuels recherchent le pouvoir qui leur permettra de formuler les grands objectifs de la société française et d'écarter autant que possible toute influence extérieure susceptible de leur faire concurrence.

Les journalistes et les intellectuels anglophones demeurent en dehors de la course au pouvoir qui préoccupe tant leurs collègues francophones. Ils sont aussi très éloignés de l'esprit corporatiste qui anime les journalistes français. L'influence qu'ils exercent auprès du public n'a aucun caractère idéologique. Collectivement, ils n'exercent aucun poids sur les politiques de la direction.

L'unilinguisme de la direction de *The Gazette* et de *The Star*, par ailleurs, ne peut faire autrement qu'influencer les politiques de ces deux quotidiens, et ceci dans plusieurs domaines. On peut souligner, par exemple, que la connaissance de plus d'une langue contribue à élargir les horizons d'une personne, ce qui est particulièrement important dans des domaines comme l'édition et l'opinion publique, et que l'ignorance du français dans le contexte québécois peut constituer un handicap assez sérieux. Quoiqu'il soit difficile de mesurer avec précision l'effet de l'unilinguisme sur l'efficacité d'une personne, on peut quand même décrire ses conséquences pratiques sur la direction d'une salle de rédaction. Le genre de reportages auxquels les journalistes seront affectés, l'importance que l'on accordera à leurs articles, et le matériel que l'on choisira pour publication, toutes ces responsabilités de la direction souffriront fatalement d'une connaissance déficiente du milieu français. La conception de l'information sera nécessairement superficielle et simpliste.

Mais les conséquences politiques seront plus graves encore. Une direction et des éditorialistes unilingues ne seront sûrement pas portés à insister sur la nécessité du bilinguisme dans les institutions et entreprises anglaises. Ils ne seront guère disposés à se lancer dans des polémiques susceptibles de mettre en relief leurs propres déficiences et de soulever des questions pertinentes sur leur compétence. Cela explique la tendance très prononcée à se replier sur cette argumentation intéressée qui consiste à souligner le caractère international de la langue anglaise dans le commerce, la technologie et même la diplomatie. Du même coup, on peut condamner la courte vue des nationalistes qui refusent de reconnaître le statut supérieur de la langue anglaise.

Ces points de vue sur la langue reflètent des attitudes qui ne sont pas sans créer des problèmes de relations avec le personnel. Les journalistes doivent nécessairement être bilingues pour pouvoir rapporter et commenter l'actualité, politique ou autre. À cause des relations quotidiennes qu'ils entretiennent avec des gens de langue française, ils acquièrent facilement une assez bonne connaissance de la société française au Québec, société qu'ils ne seront pas nécessairement portés à considérer comme hostile et menaçante pour eux, comme le font justement les dirigeants unilingues de media et d'entreprises canadiennes. De sérieuses divergences d'interprétation des faits apparaissent dans presque tous les aspects du journalisme. Les journalistes se plaignent constamment de ce que leurs connaissances particulières ne sont pas reconnues lorsque vient le moment de décider de l'orientation du journal. Conséquemment, le moral tend à sombrer plus bas que n'importe où ailleurs.

Cette impuissance de la direction des media montréalais de langue anglaise à s'adapter aux changements sociaux et politiques, en plus de la longue tradition paternaliste parmi l'élite de la communauté anglaise, explique en partie le naufrage de *The Montreal Star* en septembre 1979. La cause immédiate est sans doute la pénible grève qui dura huit mois en 1978 et 1979, et qui provoqua une réduction inattendue de la clientèle et une contraction des assises publicitaires. Toutefois, la grève, par elle-même n'était qu'un seul des nombreux symptômes du climat malsain régnant à l'intérieur de l'entreprise et qui provoqua des exigences irréalistes de la part de ses employés et de leurs syndicats. Tant sur le plan politique que purement administratif, la direction de ce quotidien se montra incapable de trouver des solutions aux nombreuses crises qui entraînèrent finalement sa déchéance.

Depuis l'élection du Parti québécois en 1976, la perspective du référendum sur l'indépendance obsède les esprits. Les faits se rapportant à cette consultation populaire sont présentés comme les éléments d'une vaste polémique engagée avec la population française sur les mérites du fédéralisme et les dangers du séparatisme. C'est ainsi que les deux quotidiens anglophones jouent sur les inquiétudes de leurs lecteurs et leur fournissent des arguments pour les rencontres de la vie quotidienne. La sélection de l'information offerte aux lecteurs encourage l'affrontement avec la population française bien plus que le compromis.

Un exemple significatif est celui de la Loi 101, dont les aspects vexatoires sont constamment illustrés au moyen d'entrevues et de reportages qui en font ressortir le caractère oppressif. Les personnes choisies pour ces entrevues sont généralement celles que les mesures gouvernementales frappent le plus durement ou qui offrent le point de vue le plus intransigeant. L'effet cumulatif de ces articles est de renforcer les préjugés des Anglais sur la population française. Le Québec français apparaît comme une société intolérante, oppressive et inhospitalière où s'agite une importante minorité de fanatiques désireux de détruire les libertés personnelles et la démocratie. La situation se complique du fait que ce genre de journalisme ranime les préjugés des Français sur la population anglaise, et nuit à toute possibilité d'entente.

Cette conception polémique de l'information fait aussi revivre par inférence le jugement sévère porté par Lord Durham sur les Canadiens français inaptes, selon lui, à faire prospérer le commerce et l'industrie. Un des sujets le plus fréquemment évoqués est celui de l'effet négatif du nationalisme sur l'économie de la province. Ces articles visent à rappeler que l'industrie québécoise fut créée en très grande partie grâce au sens des affaires de la population anglaise, et que les persécutions nationalistes vont provoquer l'exode de ses capitaux, de sa technologie et de son savoir-faire. Le caractère indispensable de la présence anglaise et l'état de dépendance de la population française sont les idées qui se dégagent le plus clairement de ce type de discussion.

Cette forme de journalisme polémique, exercée pendant une période plus ou moins longue, devient vide et répétitive. Elle détruit peu à peu la capacité de percevoir et de représenter la réalité avec objectivité. Dans le cas spécifique des quotidiens, elle nuit au renouvellement du fonds d'idées et de connaissances qui existe en tout temps dans une salle de rédaction, parmi un grand nombre de personnes. Cette situation empêche les media de réagir sainement devant des événements inattendus. Mais le plus grave est qu'elle contribue à maintenir la population anglaise dans un état d'impuissance à se défendre contre les pressions dont elle est victime, et à rechercher des modes d'adaptation positive au désir francophone d'occuper un espace économique plus vaste.

TROISIÈME PARTIE

PERSPECTIVES D'AVENIR

CHAPITRE X

Les minorités ethniques et la guerre de clientèle

Comme la plupart des grandes villes d'Amérique du Nord, Montréal a été profondément marquée par des vagues successives d'immigrants apportant leur culture, leur mode de vie et leurs ambitions personnelles. L'avenue du Parc possède ses restaurants dégageant des odeurs de poisson grillé, et ses épiceries où sont rangés des barils d'olives et de fromage Feta qui rappellent un peu le Pirée près d'Athènes. Plus au nord, près du marché Jean-Talon, des femmes vêtues de noir parlent un dialecte sicilien, des hommes discutent dans des bars expresso ou cultivent des potagers exotiques dans des cours exiguës. Au sud, près du carrefour des rues Coloniale et Prince Arthur, de vieilles maisons délabrées ont été astiquées et peintes de diverses couleurs pastel, ornées de boîtes à fleurs et de plaques religieuses en céramique, à la mode des villages portugais des Açores. La présence de communautés étrangères est visible dans plusieurs autres parties de la ville: les Haïtiens autour de la rue Bélanger, les Vietnamiens dans le quartier Côte-des-Neiges, les Indiens près de Snowdon, chaque groupe créant une atmosphère distinctive qui aide à surmonter le dépaysement.

L'origine des groupes d'immigrants a beaucoup changé au cours des années. Jusqu'à la fin de la Seconde Guerre mondiale ce sont les Britanniques, les Juifs d'Europe occidentale, les Allemands, les Ukrainiens, les Polonais et une première vague d'Italiens qui dominent. De nouveaux groupes sont arrivés durant la période d'expansion économique qui suivit la guerre: les Italiens, les Grecs et les Portugais. Plus tard, à la faveur de modifications à la politique canadienne d'immigration, ce fut le tour des Noirs antillais, des Vietnamiens et des sud-américains.

Les immigrants arrivant au Québec se sont intégrés en majorité à la communauté anglaise, ceci pour diverses raisons. La langue anglaise était celle de l'activité économique et exerçait une forte attraction auprès d'individus dont la décision de quitter leur pays d'origine était motivée surtout par des raisons d'ordre économique. Repliée sur elle-même, la société française semblait peu accueillante et peu intéressée à s'ouvrir à une présence étrangère. Mais la chute du taux de natalité parmi la population française menaçait de rompre l'équilibre démographique au Canada et, par ce fait même, mettait en péril le poids politique de la communauté française du Québec.

C'est alors que les autorités provinciales ont commencé à exercer des pressions auprès du gouvernement fédéral pour que sa politique d'immigration tienne compte des inquiétudes démographiques du Québec, en facilitant l'entrée d'immigrants que l'on appelait « francophonisables ». En même temps, les autorités provinciales mirent sur pied certains programmes destinés à faciliter l'intégration à la vie française et à inhiber leur immersion en milieu anglais. Finalement, par le biais des lois sur l'éducation, on tenta de détourner les immigrants vers la communauté française. C'est à partir de ce moment qu'un bloc d'un demi-million de personnes devint un enjeu dans la guerre que se livrent Anglais et Français au Québec.

Vers l'été de 1978, les élites anglophones commencèrent à se rendre compte de la nature de cet affrontement et des conséquences qu'aurait la loi sur la clientèle de ses institutions communautaires. Un an plus tôt, le Bureau des écoles protestantes du Grand Montréal décidait de défier la Loi 101 et d'admettre tout venant. Mais en 1978, la situation apparaissait plus clairement. Il était évident que la révolte ouverte ne pouvait durer et qu'il fallait obéir au moins à la lettre de la loi. Il fallait se résigner à voir les inscriptions dans les écoles anglaises décliner peut-être de moitié sans l'apport numérique des immigrants.

La Loi 101 produisit une réaction différente parmi la population immigrante, surtout chez les Italiens et les Grecs qui constituaient les groupes les plus nombreux à être touchés. Quoiqu'ils fussent venus au Canada pour échapper à la stagnation économique régnant dans leurs pays d'origine, et pour trouver la prospérité au Canada, ces immigrants étaient conscients du fait qu'ils auraient eux-mêmes des difficultés considérables à s'élever au-dessus des emplois qu'on leur offrait à leur arrivée, comme le travail en usine, l'entretien ou la restauration. Mais ils avaient confiance de pouvoir hisser leurs enfants vers un classe sociale supérieure. Afin d'assurer la plus grande mobilité sociale possible à leurs familles, tant au Québec qu'au Canada, ces immigrants prirent le parti d'inscrire leurs enfants dans les écoles anglaises. C'était ce recours que la Loi 101 venait abroger.

Des intérêts mutuels avaient contribué à forger une alliance inusitée entre, d'une part, des hommes d'affaires et des enseignants anglo-protestants avec leur politesse et leur réserve anglo-saxonnes, et, d'autre part, des cols bleus plus ou moins instruits, originaires de villages de Sicile et de Grèce, indignés à la manière volubile des Méditerranéens. Cette alliance avait pris forme une dizaine d'années auparavant, durant la crise de Saint-Léonard, alors que la commission scolaire catholique locale décida qu'elle ne mettrait plus d'écoles anglaises à la disposition de la population italienne. Celle-ci chercha des alliés contre les nationalistes français et les trouva parmi les Anglo-protestants qui, eux aussi, commençaient à se sentir menacés. C'est cette communauté d'intérêts qui persuada les commissaires du Bureau des écoles protestantes du Grand Montréal de ne pas respecter certaines dispositions de la Loi 101 durant l'année scolaire 1977-78.

Des signes évidents de tension et de désaccord se manifestèrent au sein de cette alliance dès 1978, alors que le Bureau des écoles protestantes réexamina sa politique de résistance qui s'appuyait sur le concept des droits individuels auquel les immigrants souscrivaient entièrement. Cependant, à mesure que s'intensifièrent les tensions politiques entre Anglais et Français et qu'apparaissait plus clairement l'enjeu de cet affrontement, les groupes ethniques de Montréal commencèrent à voir les choses d'un autre œil. Le virage que se proposaient d'effectuer les autorités scolaires protestantes les déconcerta.

Le chef de la communauté grecque déclara aux commissaires que les Grecs ne voulaient plus jouer le rôle de pions dans la guerre politique que menaient les Anglais contre les nationalistes français. À cause des liens étroits qu'ils entretenaient avec la communauté anglaise, les Grecs et les autres groupes ethniques devenaient peu à peu l'objet de la rancœur des francophones. Le porte-parole grec accusa la communauté anglaise d'exploiter cette situation à son avantage. Il ajouta que si les Grecs voulaient l'école anglaise pour leurs enfants, ils n'étaient pas pour autant hostiles aux francophones, et tenaient à la neutralité la plus stricte dans les circonstances. Les commissaires furent stupéfaits de cette intervention. « Mais pourquoi penseraient-ils être des pions? se demanda madame Joan Dougherty, la présidente de la commission scolaire. Pour nous, ajouta-t-elle, l'accès à l'école anglaise a toujours été une question de liberté civique... et de droits individuels. »

La prise de conscience politique parmi les Néo-Canadiens de Montréal ne s'arrêta pas là. Ces « Québécois de nouvelle souche », comme les désigne maintenant le gouvernement provincial, savent fort bien qu'ils constituent une troisième force politique qu'on ne peut plus manipuler comme des variables dans des programmes d'informatique pour augmenter ou réduire arbitrairement le poids des secteurs scolaires anglophone et francophone. Ils sont maintenant en nombre suffisant pour perturber le fonctionnement de toute institution qui ne tient pas compte de leurs aspirations.

Dans le passé, la communauté anglophone se souciait fort peu des immigrants et des groupes minoritaires. L'attrait économique de la langue anglaise jouait sans que personne ne s'y attarde. Mais aujourd'hui la situation a changé en ce sens que l'apport numérique des minorités ethniques est essentiel à la survivance culturelle et politique du groupe anglo-protestant dont un pourcentage inquiétant quitte la province. Les membres de groupes minoritaires, qui généralement connaissent mieux le français et s'adaptent plus facilement aux nouvelles exigences de la société française, ont tendance à demeurer sur place. C'est ce qui explique leur importance pour la rentabilité des institutions communautaires anglaises: hôpitaux, universités, collèges, services sociaux, et autres.

Pour la communauté française, les immigrants et les groupes ethniques ont un intérêt démographique qui comporte un élément de rivalité avec la communauté anglaise. Pour être réussie, leur intégration ne doit pas être directement assimilatrice, mais doit leur reconnaître une certaine latitude dans l'organisation de leur propre milieu. Ce qui vient troubler les relations entre Français et groupes ethniques est l'opinion répandue parmi ces derniers que l'anglais est la langue de l'avancement et que le français est celle de la marginalisation.

Les nouveaux arrivés au Québec n'ont aucune loyauté particulière à l'égard de l'un ou l'autre groupe linguistique. L'intégration est un processus très lent, qui peut parfois prendre jusqu'à trois générations, selon la culture d'origine. Même les enfants nés ici se sentent plus Italiens, Grecs ou Portugais, que Canadiens ou Québécois, Dans leur nouvelle patrie, ils s'identifient davantage à l'ensemble de l'Amérique du Nord qu'à l'univers circonscrit du Québec. Ils voudraient sûrement être bilingues, mais leur préférence va à l'anglais. Dans les relations qu'ils entretiennent avec les groupes anglais et français, ils rechercheront un équilibre qui protégera à la fois leurs intérêts économiques et leur intégration sociale.

Leur comportement est dicté en grande partie par leur conception de la société québécoise. Ils considèrent que la communauté française est marginale par rapport à l'ensemble de l'Amérique du Nord, non seulement du point de vue linguistique et culturel, mais aussi dans sa conception de la vie économique. La communauté française n'exerce qu'une faible attraction sur eux, et la source de son pouvoir contraignant dans les circonstances actuelles leur semble inexplicable. Quant à la communauté anglaise, elle leur semble immédiatement rattachée à l'organisation économique du pays. Elle a créé ici un genre de pyramide ethnique semblable à celles qui existent dans toutes les autres grandes villes du Canada et des États-Unis. Les Anglo-protestants sont au sommet de la pyramide, alors que d'autres groupes comme les Irlandais, les Allemands et les Scandinaves gravitent autour d'eux. Les juifs occupent le milieu, les Slaves et les peuples méditerranéens se situent au-dessous d'eux, tandis que les Noirs sont au bas tout à fait.

À Montréal comme ailleurs, les groupes ethniques ont toujours conservé une attitude ambiguë à l'égard d'un tel système. D'un côté, ils apprécient la solidarité et la sécurité que procurent les ghettos repliés sur une culture et une langue originales. Mais, d'un autre côté, ils se plaignent d'être mal accueillis au sein de la culture anglo-canadienne lorsqu'ils sont enfin prêts à y participer. Les groupes ethniques se sont toujours montrés hostiles à ce genre de pyramide et désireux d'en minimiser les effets.

Les premiers à être admis de plain-pied dans les institutions anglo-protestantes furent les Juifs. Certaines commissions scolaires anglo-protestantes refusèrent de les admettre avant 1930. Ils furent finalement acceptés lorsque le gouvernement provincial créa une commission scolaire juive dont la seule fonction était de négocier un contrat avec les autorités anglo-protestantes en vue de l'admission des élèves juifs. Il est intéressant de noter qu'en ce faisant la société française et catholique de l'époque se déchargeait du fardeau du pluralisme sur les protestants à qui elle imposait par voie législative une ouverture d'esprit qu'elle n'était pas disposée à pratiquer elle-même.

Un autre ordre de discrimination était l'antisémitisme pratiqué par des institutions comme l'Université McGill qui, jusqu'au seuil de la Seconde Guerre mondiale, avait des critères d'admission plus sévères pour les Juifs que pour les autres groupes ethniques. Durant cette même période, des hôpitaux anglo-protestants comme le Royal Victoria et le Montreal General n'admettaient qu'un nombre restreint de Juifs à l'internat, et ce n'est que dans des circonstances exceptionnelles qu'on leur donnait accès à des postes supérieurs. C'est en réponse à ces pratiques que la communauté juive réunit les fonds nécessaires à la fondation de l'hôpital Général juif de Montréal.

Après la Seconde Guerre mondiale, les élites anglophones commencèrent à se montrer plus accueillantes à l'égard des minorités ethniques et religieuses. Mais jusque vers 1960 l'accès aux postes supérieurs restait relativement difficile. Les Juifs, tout comme les immigrants, pouvaient fort bien se lancer dans différentes sortes d'entreprises et de commerces, accéder à diverses professions utiles à leur propre communauté. Mais ils étaient difficilement acceptés à la tête de grandes entreprises financières ou des commissions scolaires.

Lorsque l'exclusion prit définitivement fin, ce fut, encore une fois, à l'instigation du gouvernement provincial qui préférait imposer à la communauté anglophone un pluralisme auquel la société française se refusait elle-même. Au début des années 60, le gouvernement Lesage fit adopter une loi modifiant la charte du Bureau des écoles protestantes du Grand Montréal de façon à garantir cinq commissaires à la communauté juive. C'est vers cette époque que plusieurs autres barrières tombèrent. La Bourse de Montréal se mit à admettre des courtiers juifs. L'Université McGill se résolut enfin à accepter la participation de Samuel Bronfman à son conseil des gouverneurs et plusieurs clubs privés levèrent l'exclusive contre les Juifs.

Les chefs de file de la communauté juive de Montréal, ayant obtenu l'accès aux postes les plus importants des institutions sociales et économiques de la communauté anglaise, décidèrent d'enterrer tous leurs mauvais souvenirs et de se joindre socialement et économiquement à elle. Cette identification s'intensifia avec la montée du nationalisme français au Québec, que les Juifs craignaient encore plus que l'exclusion dont ils avaient été l'objet autrefois de la part des Anglais. Ce qu'ils y voient de menaçant est la xénophobie que ce nationalisme a traditionnellement véhiculée, ainsi que les pressions qu'il exerce en faveur d'une société homogène comme celle qui était autrefois dominée par l'Église et le clergé catholiques.

Après l'intégration des Juifs, la communauté anglaise commença à s'ouvrir à différents groupes ethniques comme les Italiens, les Grecs et les Noirs. Le point tournant fut la crise de Saint-Léonard qui déclencha la guerre de clientèle entre institutions anglaises et françaises. Du jour au lendemain, on vit l'importance économique et sociale des immigrants. La communauté anglaise constata à sa grande surprise que la moitié de ses membres étaient d'une origine autre que Britannique. Cela entraîna presque immédiatement des modifications institutionnelles visant à satisfaire aux attentes des immigrants. Les commissions scolaires anglophones se mirent à engager des enseignants italiens, grecs et noirs en plus grand nombre que jamais, et à les nommer à des postes de direction. Les agences d'aide sociale et les hôpitaux firent de même. Les gouvernements et les fondations privées commencèrent à s'intéresser à des études sur les communautés ethniques. La transformation de la société anglophone de Montréal fut si rapide qu'au moment de la prise du pouvoir par le Parti québécois, elle avait presque rejoint les autres grandes villes du continent dans son acceptation du pluralisme et de la diversité. L'ancienne pyramide ethnique dominée par les Anglo-protestants était nettement en voie de disparition.

Cette soudaine attitude d'accueil, si longtemps souhaitée, explique en partie la méfiance qui se manifesta parmi les groupes ethniques lorsque les autorités provinciales amorcèrent, au moyen de la Loi 22, en 1974, un mouvement visant à les intégrer à la société française. Les immigrants se virent dans l'obligation de recommencer, en français, cette expérience dont ils avaient déjà fait l'épreuve en anglais, de l'exclusion sociale, de l'adaptation et, finalement, d'une acceptation parfois opportuniste et condescendante. En outre, leur brusque parachutage au centre de la scène politique, et la sollicitude insolite des autorités provinciales n'auguraient rien de bon. L'exclusivisme et le chauvinisme qui animent une bonne part de l'opinion nationaliste française les inquiétèrent pour l'avenir de ses quartiers qu'ils avaient refaits à leur image à l'intérieur de la ville de Montréal.

L'importance des quartiers ethniques, des ghettos comme on dit aujourd'hui, a toujours été mal comprise par la communauté francophone. Le rôle qu'ils ont joué pour chaque vague successive d'immigrants fut de faciliter leur adaptation à une nouvelle culture et à des rapports économiques différents de ceux qui existaient dans leurs pays d'origine. Un grand nombre d'entre eux sont de source paysanne et ils éprouvent de sérieuses difficultés à s'adapter à la vie urbaine.

Ces ghettos où des minorités culturelles subsistent, adoucissent considérablement la brutalité du choc culturel qu'ils éprouvent en s'établissant en Amérique. L'efficacité de l'encadrement fourni par ces ghettos se démontre éloquemment par le fait que les groupes immigrants sont ceux qui ont le moins souvent recours à l'assistance sociale. Or, aux yeux des Québécois de langue française, ces villages dans la ville constituent une menace à la culture majoritaire. Une idée qui revient très fréquemment est la nécessité d'absorber et d'intégrer les quartiers immigrants le plus rapidement possible.

« Il faut déceler les clignotants d'intolérance dès leur apparition, et empêcher, surtout à Montréal, la consolidation toujours menaçante de ghettos », écrivait Lise Bissonnette en éditorial dans *Le Devoir*. Ce point de vue résolument assimilateur se retrouve aussi parmi les hauts fonctionnaires du ministère des Affaires sociales et de celui de l'Immigration.

Ces attitudes démontrent que le milieu français au Québec ne connaît que peu de chose sur l'histoire et la sociologie de l'immigration en Amérique du Nord, et sur la complexité des liens que les nouveaux venus recréent dans leur pays d'accueil. Évidemment, les Québécois de langue française ont eu par le passé des contacts fréquents avec les populations immigrantes. Mais ce fut généralement en tant que concurrents sur le marché du travail ou dans le commerce. Ce n'est qu'en 1968, que le gouvernement provincial commença à s'intéresser officiellement aux immigrants. C'était la première rupture avec une attitude ancienne qui consistait à refouler les immigrants du côté anglais afin de préserver l'homogénéité de la culture française du Québec.

Depuis 1960 environ, et à commencer par les États-Unis, les minorités ethniques sont devenues beaucoup plus conscientes de leurs droits et beaucoup plus résolues à les défendre. Or, jusqu'à très récemment, la communauté française n'a jamais fait l'expérience de forts contingents d'immigrants envahissant ses institutions et exigeant des services à la mesure de leurs besoins et en accord avec leurs aspirations. Cette ignorance mène inévitablement à une erreur sérieuse qui consiste à croire que la coercition scolaire, accompagnée d'un encouragement aux traditions folkloriques, stimulera l'assimilation rapide des différents groupes minoritaires à Montréal.

Un aspect important de ce problème, dont la politique officielle se préoccupe très peu, réside dans les mentalités et les expériences différentes des minorités ethniques et des Québécois de langue française qui les ont opposés dans le passé et qui sont susceptibles de le faire de nouveau. Les différences les plus marquées semblent avoir trait à l'épargne et à l'avancement social. Immigrants et francophones se côtoient depuis longtemps sur les chantiers et dans les ateliers et les usines où le travail est dur et peu rémunéré. Pour les immigrants, ces milieux de travail représentent le premier échelon de l'échelle sociale qu'ils sont résolus à gravir pour eux-mêmes et leurs enfants. Souvent, dans l'espace d'une seule génération, on passait de simple manœuvre à une occupation professionnelle, d'entrepreneur ou de cadre[1]. Afin de réaliser leurs ambitions personnelles, ces

1. Voir Jeremy Boissevain, *The Italians of Montreal*, The Royal Commission on Bilingualism and Biculturalism. Government of Canada, 1971, p. 15.

immigrants faisaient très souvent des journées excessivement longues, dans des conditions que les Canadiens de naissance n'auraient jamais acceptées eux-mêmes. Presque tous les membres adultes d'une même famille travaillaient, et deux ou trois familles pouvaient habiter le même logement. Ces privations étaient destinées à leur procurer le capital qui leur permettrait éventuellement d'échapper à cette situation et d'atteindre un niveau de vie plus satisfaisant. Les francophones qui côtoyaient ces immigrants, soit à l'ouvrage, soit dans leur voisinage, n'avaient pas les mêmes ambitions et la même volonté de réussite. Au contraire, ils avaient tendance à se considérer comme des membres permanents de la classe ouvrière.

Souvent les immigrants s'établissaient dans des quartiers français. Après quelques années d'épargne intensive, leur capital se transformait en duplex ou en triplex et ils devenaient les propriétaires de leurs voisins moins ambitieux. Il arrivait aussi que des immigrants, ayant appris l'anglais, et noué des relations avec des établissements de crédit, s'unissaient pour lancer une affaire, devenir entrepreneurs en construction, ou ouvrir une petite usine de fabrication ou de transformation. La répétition de ce genre de situation finit par susciter chez les francophones une certaine animosité à l'égard des immigrants qui semblaient monopoliser diverses catégories d'emplois et prospérer avec une facilité mystérieuse. C'est ce qui explique la méfiance qui animait autrefois les francophones à l'égard des Juifs, et l'animosité qu'ils manifestèrent plus tard à l'égard des Italiens[2].

La majorité des immigrants est encore engagée dans ce cycle du travail, de l'épargne et de l'investissement. À mesure que leurs ambitions se réalisent, ces groupes

---

2. Voir Mason Wade, *The French Canadians, 1760-1967*, Macmillan, Toronto, 1968, p. 864, ainsi que Paul Cappon, *Les Néo-Canadiens et les francophones de Montréal*, Les Presses de l'Université Laval, Québec, 1974, p. 35-39.

émigrent vers d'autres secteurs de la ville qui reflètent mieux leur nouvelle situation sociale. Ces mouvements suivent un tracé assez bien défini. Les Juifs se sont d'abord établis vers le pied du boulevard Saint-Laurent, au centre-ville, et ont progressé vers le nord. Dès qu'ils atteignirent une certaine aisance, ils émigrèrent vers l'ouest, le long de la rue Van Horne, pour essaimer plus tard dans les municipalités de la Côte-Saint-Luc et de Ville-Mont-Royal. Les Grecs occupent maintenant l'espace que les Juifs occupaient il y a quarante ans, et ce sont les Portugais qui les suivent. Par ailleurs, les nouveaux arrivants italiens ont tendance à s'établir près du Marché Jean-Talon, dans le nord de la ville, et, à mesure qu'ils améliorent leur sort, à émigrer vers les quartiers de Saint-Michel et de Saint-Léonard.

C'est en rapport avec les Italiens, le groupe le mieux intégré à la communauté française, qu'ont surgi les conflits linguistiques de Saint-Léonard, dont les causes sont de la plus haute importance pour l'avenir des relations entre groupes ethniques au Québec. Contrairement à la plupart des autres groupes, les Italiens eurent tendance, à leur arrivée, à se joindre aux francophones, à habiter sensiblement les mêmes quartiers. La vieille génération chez les Italiens parle plus volontiers le français que l'anglais. Mais les différences de mentalité se sont révélées extrêmement importantes et expliquent en grande partie la nature du problème linguistique abordé par la Loi 101. Les Italiens, comme la plupart des immigrants, manifestent un esprit d'initiative et d'entreprise beaucoup plus développé que celui de l'ensemble de la population française. Ce sont généralement de petits entrepreneurs aspirant à devenir propriétaires d'immeubles, constructeurs, restaurateurs, etc.

Les immigrants italiens ont une vue plutôt utilitaire de l'éducation qui représente à leurs yeux le moyen qui permettra à leurs enfants de s'élever encore plus haut dans la société. Mais comme le succès économique est associé à la langue anglaise, le choix de la langue d'enseignement découle pour eux de cette constatation. Pendant longtemps ce choix ne posa aucun problème. Après tout, plus de dix ou quinze pour cent des parents francophones en faisaient autant pour leurs propres enfants. Peu à peu la communauté italienne s'anglicisa. Le mouvement s'accéléra du fait que certains de ses membres les mieux instruits et les plus prospères commençaient à accéder à des postes intéressants dans les milieux d'affaires anglophones. Ce besoin de réussite et d'avancement, qui est à la base du comportement des groupes immigrants, explique aussi l'attraction que la langue anglaise exerce sur eux.

La Loi 101 est venue arrêter ce mouvement. Après dix ans de résistance au nationalisme français, il était devenu impossible d'ignorer les pressions en faveur de la langue française. Mais la peur de l'exclusion fut avivée chez les groupes ethniques par le préambule du projet de loi no 1, qui fut la première ébauche de la Loi 101, et qui définissait le Québécois comme une personne de langue française. Or, l'esprit militant des francophones dans l'affirmation de leurs droits risque fort d'être imité par les groupes ethniques dans la défense des leurs. Ils se montreront sûrement très agressifs dans la défense de leurs intérêts et de leur conception particulière de la société. Déjà, des groupes représentatifs ont signifié aux autorités provinciales qu'ils s'attendent que la majorité francophone soit prête à faire des accommodements en leur faveur dans le système d'enseignement, les affaires sociales et la Fonction publique.

Les tensions des dix dernières années ont contribué énormément au réveil politique des groupes ethniques de Montréal, comme en témoigne cet extrait d'une déclaration adressée au journal *Le Devoir* du 5 mai 1979 par un courtier d'assurances, M. Paul Pantazis:

> « Jusqu'ici les groupes ethniques ont été ignorés au point d'être considérés comme des appoints à la vie

sociale et économique à laquelle pourtant ils contribuent activement par leurs taxes et leur travail.

« Ils ont pourtant une identité propre, des besoins distincts et des aspirations. Il a fallu que les temps changent pour que subitement les gouvernements et les partis politiques les découvrent pour les inonder de subventions, de visites, de conférences et de colloques.

« Il est donc naturel que face à cette nouvelle perspective, après des décennies de négligence, voire de mépris, les groupes ethniques manifestèrent une méfiance bien légitime.

« Pourquoi cet intérêt soudain? Sinon parce qu'au bout de la ligne il existe des motifs politiques pas toujours des plus intègres. Alors il n'est pas exagéré de dire que cet attrait imprévu pour les minorités ethniques n'est pas le résultat d'un altruisme inopiné. La vérité politique est que ceux qui se disent les « peuples fondateurs » ont découvert au cours de leurs querelles qu'ils n'étaient plus seuls, et que la décision finale pourrait être entre les mains de ces minorités. En fait, l'occasion est rêvée pour qu'enfin les minorités fassent reconnaître leur droit à l'égalité. »

Ce que cette lettre veut communiquer à la population francophone est que les Néo-Québécois n'ont aucune intention d'abandonner les liens qu'ils ont déjà établis avec la communauté anglaise, qu'ils n'ont aucune inclination à s'identifier à l'une ou l'autre des cultures dominantes, qu'ils entendent plutôt prendre ce qu'il y a de mieux dans chacune. Ils sont sûrement prêts à se rapprocher de la population française, mais ils se souviennent fort bien de Saint-Léonard, des reproches qu'on leur a déjà faits d'enlever du travail aux Québécois de naissance, et de leur exclusion explicite de la société québécoise par la première ébauche de la Loi 101. Leur intégration à la vie française sera donc lente et accompagnée d'une certaine méfiance.

CHAPITRE XI

Le nouveau leadership anglophone

Une longue liste de messages téléphoniques urgents attendent Abe Limonchik lorsqu'il rentre chez lui après une journée de travail comme chimiste à la société Domtar à Montréal. Radio-Canada désire une entrevue pour un programme sur les affaires urbaines. Le conseiller Michael Fainstat, du Rassemblement des citoyens de Montréal, aimerait discuter de certaines questions en vue d'un débat au Conseil municipal. Et puis il y a ce militant péquiste de Centre-sud, le candidat conservateur de Westmount, le directeur d'une entreprise quelconque, un immigrant ayant des problèmes linguistiques et scolaires, et de nombreux autres. M. Limonchik, qui porte presque toujours un béret, un chandail et un pantalon non pressé, est président du Rassemblement des citoyens de Montréal, le principal parti d'opposition à l'hôtel de ville de

Montréal. C'est le seul parti politique au Québec au sein duquel Anglais et Français travaillent sans que la langue d'usage ne soit un problème. M. Limonchik fait ses appels téléphoniques, passant de l'anglais au français sans effort, offrant informations et conseils à ceux qui l'appellent.

Abe Limonchik a grandi durant les années 40 et 50 à la périphérie du ghetto juif de Montréal décrit par le romancier canadien Mordecai Richler dans *Duddy Kravitz et St. Urbain's Horseman*. Comme plusieurs de ses amis, il a fait ses études en anglais, mais il connaît assez bien l'est de Montréal pour y avoir appris le français. Sa femme est originaire de Trois-Rivières et est de langue française. M. Limonchik est à l'aise avec toutes les catégories de Québécois. C'est un ami du chef syndicaliste Michel Chartrand, et il connaît les ministres péquistes Robert Burns et Jacques-Yvan Morin pour avoir milité avec eux dans l'aile québécoise du Nouveau Parti démocratique. Comme il travaille pour une grande société canadienne, il est parfaitement au fait des problèmes de la communauté anglaise et il connaît un grand nombre de représentants du milieu des affaires.

C'est cette aptitude à participer aux activités des deux principales communautés linguistiques de Montréal qui fait d'Abe Limonchik un personnage politique important. Il joue un rôle crucial pour les anglophones qui depuis l'élection du Parti québécois sont complètement désemparés et presque coupés de toute participation politique constructive. Alors que le Parti libéral était au pouvoir à Québec, avant 1976, la population anglaise pouvait encore compter sur ses élites financières et sur les porte-parole de certaines institutions communautaires pour faire valoir ses intérêts à Québec. À cette époque, M. Limonchik n'était connu que d'un petit cercle d'intellectuels engagés dans l'action politique et sociale. Aujourd'hui, en tant que président du Rassemblement des citoyens de Montréal, il possède plus de crédit et de pouvoir politique que le président de Domtar. Il est devenu, dans un certain sens, le prototype d'une nouvelle élite anglophone au Québec.

Dans le passé, les accommodements entre les deux solitudes québécoises étaient réalisés en coulisses grâce à des ententes entre les élites financières anglaises et les hommes politiques français. Mais la croissance de la Fonction publique à Québec a contribué à bloquer cette voie d'entente. Après l'avènement du Parti québécois, l'engagement social et la politique municipale sont devenus les points de rencontre des deux communautés. Ce changement signifie que la communauté anglaise doit abandonner l'encadrement sécurisant de ses institutions économiques. Ses membres doivent participer comme individus à la politique québécoise, envahir la Fonction publique, les mouvements populaires, les syndicats et tous les autres organismes constituant l'ensemble de la société québécoise.

Quoique la plupart des Montréalais n'en soient pas conscients, de plus en plus d'anglophones participent aux activités de la majorité française, comme le fait Abe Limonchik. Ces individus s'élèvent au-dessus de l'ethnocentrisme de la communauté anglaise et de l'isolement social caractéristique des élites financière et industriel-le. Leur expérience personnelle sert à ouvrir la voie à une participation collective.

Ce leadership social et politique vient de sources très différentes de celles des anciennes élites associées à la gestion économique du pays et au milieu des affaires. On peut à l'heure actuelle identifier cinq groupes principaux. Le premier se compose de militants du Rassemblement des citoyens de Montréal qui se recrutent surtout parmi les organisateurs communautaires, les travailleurs sociaux, les avocats, les médecins et autres représentants des professions libérales. Le second, constitué de gens de milieux semblables, s'occupe de questions se rapportant à l'environnement, à la lutte antipauvreté au niveau local, au mouvement de libération de la femme, etc. Ces personnes ont échappé aux limites étroites du milieu anglais en s'engageant dans une variété de mouvements issus des années 60 aux États-Unis pour ensuite établir des contacts fructueux, mais parfois tendus, avec des mouvements français de même nature. Un troisième groupe est constitué de chefs syndicaux dans le secteur de l'enseignement protestant qui durent s'allier à la Centrale des enseignants du Québec pour améliorer leur force de négociation avec les autorités provinciales. Une autre catégorie, moins visible, est composée d'anglophones qui ont simplement choisi de travailler en milieu français. Au lieu de faire carrière à l'Université McGill ou à la Banque Royale du Canada, ils se retrouvent à l'Université du Québec à Montréal ou à la société SNC.

Le cinquième groupe est identifiable à son engagement politique plutôt qu'à ses activités quotidiennes. On peut y inclure le mouvement Participation-Québec dont l'objectif est de promouvoir l'intégration collective de la communauté anglaise à la vie québécoise. Il s'agit bien d'intégration et non d'assimilation, car tous ces gens sont très conscients de leur patrimoine anglais et nord-américain. Ce groupe se compose surtout de jeunes professionnels dans les affaires, le droit et l'enseignement. Il faudrait aussi mentionner les adhérents d'un mouvement qui a pour sigle CASA: le Comité anglophone pour la Souveraineté-Association. Différents sondages ont démontré qu'entre dix et vingt pour cent des électeurs anglophones sont d'avis que la Souveraineté-Association pourrait bien constituer la réponse la plus pratique aux problèmes actuels du Québec et du Canada, quoiqu'ils ne soient pas nécessairement disposés à militer en faveur de cette option particulière. Le CASA regroupe une petite minorité qui est prête à faire campagne activement. La plupart de ses membres sont en faveur de la séparation. Ils sont le plus souvent des membres en règle du Parti québécois. Plusieurs considèrent que l'indépendance du Québec est la voie la plus sûre et la plus rapide vers le socialisme. À l'heure actuelle, ils sont considérés avec beaucoup de suspicion par leurs compatriotes et ils ne jouissent pas d'un très grand crédit non plus auprès des péquistes et des francophones en général.

Les origines sociales des personnes engagées dans ces différents mouvements sont très différentes de celles des élites traditionnelles de la communauté anglaise. Beaucoup d'entre elles sont issues de familles d'immigrants, souvent juifs, qui ont tiré une maigre subsistance des ateliers et des usines du boulevard Saint-Laurent et qui ne se sentirent jamais véritablement acceptés des Anglo-protestants. Ces derniers sont également présents parmi ces mouvements mais, dans de nombreux cas, ils sont originaires des États-Unis, du Royaume-Uni ou d'autres provinces canadiennes. Ils se sentent complètement détachés des antagonismes historiques entre Anglais et Français au Québec.

Politiquement, ils tendent vers la social-démocratie et vers le fédéralisme. Toutefois, ils considèrent que le statu quo ne saurait rencontrer les aspirations de la population française. Tous acceptent l'idée que le français devienne la langue de travail et que le Québec soit aussi français que l'Ontario est anglais. Par contre, ils sont fermement convaincus que l'on doit accorder un statut minoritaire officiel à la communauté anglaise et lui reconnaître explicitement certains droits collectifs. La plupart d'entre eux sont d'avis que la Loi 101 ne respecte pas certains droits élémentaires et qu'elle devrait être modifiée. Mais en dépit de cela, la question de la langue n'a rien d'obsédant pour eux: l'indépendance possible du Québec inspire peu de crainte quoique l'on conserve une certaine méfiance à l'égard du nationalisme. Si la majorité française exprimait la volonté de se séparer du reste du Canada, ces personnes seraient disposées à accepter ce verdict et à demeurer ici.

Un des aspects les plus intéressants de la pensée de ces personnes est que, en dépit de l'appui manifesté à l'égard des droits collectifs français, leur orientation idéologique demeure très individualiste. Essentiellement, ce sont des gens qui manifestent un très haut degré d'indépendance dans leur vie personnelle et qui ont peu d'attachement pour les grands regroupements collectifs. Cela s'explique par le fait qu'ils ne se sont jamais complètement identifiés à l'un ou à l'autre des deux groupes linguistiques au Québec. Ce sont généralement des marginaux qui recherchent des solutions originales aux problèmes sociaux et politiques. Or, ce sont précisément ces caractéristiques qui les rendent relativement influents dans le contexte actuel et d'un apport si précieux, non seulement pour la communauté anglophone, mais pour le Québec tout entier.

Le moment où ces mouvements anglophones ont commencé à explorer de nouvelles formes d'action et de leadership au sein de leur propre communauté remonte au début des années 60. Les premiers efforts ont porté sur la lutte antipauvreté, sur la libération de la femme, ainsi que sur la préservation de l'environnement. Depuis, ces mouvements se sont diversifiés et comprennent des cliniques d'aide juridique, des associations de locataires, des ligues de consommateurs. Certains fonctionnent grâce à des fonds publics, d'autres doivent recourir à des contributions volontaires et au bénévolat.

Ce qui importe en regard de ces anglophones est que leur démarche ne les situe pas en marge de la majorité française. Ils acceptent le français comme langue de travail et n'insistent pas pour que l'anglais se voie accorder un statut spécial. Ceci fait que la langue et l'appartenance ethnique n'entrent pas en ligne de compte dans leurs relations avec les francophones.

La Clinique juridique communautaire de Pointe-Saint-Charles et de la Petite-Bourgogne illustre le genre d'évolution suivie à Montréal. Cette organisation fut fondée en 1970 par des étudiants de langue anglaise. Aujourd'hui, le personnel est surtout de langue française et dessert une population qui, elle aussi, est principalement de langue française. Cependant, des avocats anglophones bilingues y sont encore très actifs. La Clinique s'occupe des membres des deux communautés linguistiques requérant une forme ou une autre d'assistance. Les procureurs offrent leurs services à ceux qui ont des démêlés avec les fonctionnaires de l'aide sociale, avec leurs propriétaires, ou encore avec la police. En même temps, ils s'occupent d'une foule de questions intéressant l'ensemble de la population, comme les coopératives d'habitation, la rénovation des taudis, les démolitions et la constitution d'organismes comme les garderies. Leur but est d'influencer l'esprit du droit administratif de manière qu'il y ait le moins de discrimination possible à l'endroit de ceux qui vivent sous le seuil de la pauvreté, et aussi de mener des campagnes d'opinion en faveur de changements législatifs favorables à cette catégorie de personnes.

Ces militants engagés dans divers mouvements progressistes constituent les éléments les plus dynamiques de ce nouveau leadership anglophone. Mais les positions qu'ils occupent maintenant dans le milieu francophone ne se sont pas gagnées aisément. Beaucoup d'entre eux durent faire un long apprentissage des mouvements progressistes anglais durant les années 60; à mesure que leurs préoccupations et leur expérience les rapprochaient des mouvements français, ils durent apprendre une nouvelle langue et se mettre au diapason d'une autre société. Mais une fois ces difficultés surmontées, ils purent facilement arriver jusqu'au centre des mouvements populaires français et y jouer un rôle de premier plan, comme cela s'est produit dans le Ralliement des citoyens de Montréal.

Ces réformistes anglophones, il faut le souligner, sont complètement différents de ceux qui autrefois militaient au sein du Co-operative Commonwealth Federation et du Nouveau Parti démocratique à Montréal. La différence essentielle est que l'on ne considère plus qu'il soit nécessaire de recourir à l'élargissement des pouvoirs fédéraux pour réformer la société. On croit généralement que la décentralisation est préférable, surtout si elle s'accompagne d'un type d'administration en contact plus étroit avec la population. Ces réformistes sont donc mieux accordés avec les grands courants de la pensée politique au Québec, et ils se concentrent sur des questions qui concernent les individus et les petits groupes.

Leur attention se porta d'abord sur le quartier irlandais de Pointe-Saint-Charles, ainsi que sur ceux de Saint-Louis et de Park Extension, où se concentrent une grande partie des populations immigrantes de Montréal. Mais c'est Pointe-Saint-Charles qui fut la plus choyée des animateurs, et ceci pour des raisons bien particulières. Alors que du côté français il existait de nombreux champs d'activité, il en allait tout autrement dans les milieux anglophones qui comptent un pourcentage proportionnellement moindre de personnes vivant sous le seuil de la pauvreté.

C'est au début des années 60 que commença la guerre à la pauvreté dans les grandes villes américaines, alors que des organisations de quartiers commencèrent à exercer un pouvoir nouveau et prometteur. C'était l'époque où les théories de Saul Alinsky sur l'organisation communautaire servirent d'inspiration à tous ceux que préoccupait la réforme de la société. Les diplômés de l'École de service social de l'Université McGill furent profondément influencés par ce qui se passait aux États-Unis. Mais comme ils ne parlaient guère le français et n'avaient aucune idée de la vie dans les quartiers français, ils se dirigèrent presque en masse vers Pointe-Saint-Charles dont les habitants irlandais possédaient une culture assez proche de la leur. De cette base plutôt réduite, ils lancèrent une campagne antipauvreté calquée sur le modèle américain, et eurent plus tard une influence assez importante sur les politiques sociales mises en application par les autorités provinciales.

Un des principaux animateurs fut Peter Katadotis, un diplômé de McGill qui connaissait exceptionnellement bien les dessous de la vie à Montréal. Adolescent, il fut plongeur au restaurant de son père, et il travailla plus tard dans la construction pour payer ses études universitaires. Parlant couramment l'anglais, le français et le grec, Katadotis avait une connaissance pratique de trois cultures différentes à Montréal. Mais son éducation le poussa vers les quartiers anglophones. Muni d'une subvention de $250 000 de la *McConnell Foundation* de Montréal il fonda le *Parallel Institute* qui se logea dans le sous-sol de *St. Columba House,* une annexe de l'Église unie à Pointe-Saint-Charles. Ce mouvement visait surtout à sensibiliser la population locale à ses propres problèmes et, ensuite, à l'organiser en comités de citoyens selon le modèle proposé par Alinsky. À cause du nombre relativement élevé d'assistés sociaux, l'objectif qui s'imposa naturellement fut de réformer les lois s'y rapportant.

Inspiré par les efforts de Katadotis, un regroupement de 17 comités de citoyens entreprit, dans les quartiers les plus pauvres de la ville de Montréal, une lutte de deux ans contre les autorités provinciales pour obtenir des améliorations concrètes dans l'administration des lois d'aide sociale. Ces efforts furent couronnés par une acceptation totale du programme fédéral-provincial d'aide sociale de la part du Québec qui ne l'avait adopté que sur une base limitée et expérimentale. Les chèques destinés aux assistés augmentèrent sensiblement et les fonctionnaires commencèrent à se montrer moins tatillons et paternalistes dans l'interprétation des critères d'assistance. Une autre victoire importante fut l'abandon de pratiques de surveillance qui constituaient de véritables atteintes à la vie privée.

Ce sont surtout les animateurs de langue anglaise qui, au début, alimentèrent la contestation de quartier avec des idées puisées à l'expérience américaine. Plus tard, des réseaux d'action francophones furent mis sur pied; mais pendant longtemps, leurs animateurs refusèrent de s'intéresser à des réformes parcellaires, préférant de loin une stratégie dite globale. Par exemple, le chef syndical Michel Chartrand refusa d'aider ces groupes à s'organiser et à lutter contre les autorités gouvernementales, ne leur trouvant aucun intérêt révolutionnaire.

La création du régime d'aide juridique le plus progressiste du pays s'inspira aussi des activités d'animateurs anglophones à Pointe-Saint-Charles. L'impulsion principale fut donnée par des étudiants en droit de l'Université McGill qui, en 1970, établirent une clinique d'aide juridique de modèle américain dans une boutique donnant sur le trottoir. Leur but était de formuler une conception du droit qui soit en accord avec les besoins des défavorisés dans des domaines comme le logement, la saisie et la rénovation urbaine. Le premier salarié fut un diplômé de McGill, Robert Cooper, qui après quelque temps attira l'attention du ministre de la Justice, Jérôme Choquette. Le ministre l'invita à travailler, à titre de conseiller spécial, à la préparation d'une loi de l'assistance juridique. Le résultat: la Loi 10, qui créait trois types différents d'aide: des cliniques communautaires, des cabinets d'avocats-fonctionnaires, ainsi qu'un système en vertu duquel l'avocat choisi par l'assisté était rémunéré à même les fonds publics.

Le régime québécois est considéré maintenant comme beaucoup mieux adapté aux besoins des gens à revenus modestes que celui de l'Ontario, par exemple. Malheureusement, les autorités provinciales n'ont pas encouragé par la suite la création de cliniques communautaires. On craignait qu'elles ne tombent sous l'influence de marxistes-léninistes dont les activités ont paralysé une foule d'organismes populaires au cours des dix dernières années. Néanmoins, il subsiste encore trois de ces cliniques, dont deux furent fondées par des anglophones et qui en comprennent encore un certain nombre. La première est celle de Pointe-Saint-Charles. L'autre se nomme Les Services juridiques Saint-Louis et est dirigée par Zyskind Finkelstein. En dépit du fait que le gouvernement provincial a aboli toute subvention spéciale à cet organisme, Finkelstein et trois autres avocats sont parvenus à assurer sa rentabilité et à maintenir des rapports fructueux avec la population du quartier.

Un autre domaine où la contribution anglophone fut particulièrement importante est celui du logement coopératif. Ce type d'habitation fut créé en 1973 alors que la Société centrale d'hypothèques et de logement commença à fournir des hypothèques à bon marché à cette fin. Mais ce n'est qu'en 1977, quand les autorités provinciales se mirent à subventionner les organismes consultatifs en ce domaine, que cette nouvelle forme de propriété immobilière prit son essor. Toutefois, quelque temps avant cette intervention, des architectes, des urbanistes et des étudiants anglophones s'associèrent aux divers mouvements antipauvreté et s'intéressèrent à plusieurs expériences de logement coopératif qui servirent de terrains d'apprentissage pour les projets subséquents.

Loge-Peuple est le nom d'un projet-pilote qui reçut $1 million en fonds hypothécaires de la Société centrale pour la rénovation d'une centaine de logements dans un ensemble coopératif. Le directeur était Joe Baker, à ce moment professeur d'architecture à l'Université McGill, et maintenant directeur de l'école d'architecture de l'Université Laval. Son associé était Andy Melamud que l'on retrouve plus tard à l'Université Concordia. Ce projet particulier contribua, par l'expérience acquise, à l'essor du logement coopératif. On peut mentionner, entre autres, deux noms également connus. Il s'agit de Ernest Vaudry, qui grandit à Pointe-Saint-Charles et fut un locataire de Loge-Peuple, et de James McGregor, urbaniste de l'Université de Montréal. Ensemble, ils créèrent le Conseil de développement du logement communautaire, un des meilleurs organismes consultatifs dans ce domaine. Quoique le personnel du CDLC soit à majorité francophone, ses dirigeants sont des anglophones qui firent leurs premières armes dans les mouvements antipauvreté de Pointe-Saint-Charles.

L'importance de la contribution anglophone à certains types d'activité communautaire s'explique assez facilement. C'est qu'il existait, durant toutes ces années, très peu de débouchés pour des personnes désireuses de militer dans des mouvements réformistes. La politique et le syndicalisme n'étaient pas des terrains très prometteurs à cause de l'isolement de la communauté anglaise et du nombre restreint de ses membres occupant des emplois syndiqués ou syndicables. C'est pourquoi Pointe-Saint-Charles devint un des endroits les plus ratissés, à Montréal, par les animateurs sociaux.

Du côté français, par contre, il existait nombre d'activités tout aussi captivantes que l'animation sociale. Le mouvement syndical constituait un pôle d'attraction de premier ordre disposant d'un très grand nombre de personnes aptes à encadrer une grande variété de mouvements sociaux. Fidèles à leur clientèle, les syndicalistes français s'engagèrent dans des luttes visant à améliorer la sécurité et la salubrité des conditions de travail dans plusieurs industries, notamment celle de la construction. Un autre champ d'activité important était l'économie familiale et la défense des consommateurs contre le recours abusif au crédit.

Alors que les anglophones avaient généralement une philosophie réformiste à proposer à la société, les francophones tendaient vers une perspective plus globale et un engagement touchant l'ensemble de la société. C'est pourquoi la politique, en l'occurrence le Parti québécois, accapara le gros des énergies de la société française. C'était une période de débats interminables sur la question de savoir si « le national » devait ou non avoir préséance sur « le social ».

Le sentiment nationaliste était si fort au début des années 70 que les militants de langue française étaient réticents à collaborer avec des anglophones dans des mouvements sociaux par crainte d'être dominés par eux. Peu après son arrivée à Pointe-Saint-Charles, Peter Katadotis tenta d'organiser un conseil de quartier regroupant tous les organisateurs et les comités locaux. Mais le projet échoua. Au cours de 1972, lors d'une vague nationaliste particulièrement forte, le personnel de langue française du Parallel Institute de Katadotis démissionna, consacrant ainsi la scission culturelle et linguistique des mouvements progressistes et de la gauche à Montréal.

Les anglophones poursuivirent leur travail, mais ils durent traverser l'épreuve d'une douloureuse prise de conscience. Le résultat fut que, presque inconsciemment et sans trop s'en rendre compte, ils commencèrent à faire un usage de plus en plus fréquent du français. Leurs organisations devinrent progressivement francophones et eux-mêmes se fondirent dans le milieu français, du moins en ce qui a trait à leur activité professionnelle.

Une transformation semblable eut lieu dans les mouvements féminins, et la crise apparut aussi en cette même année 1972. Tout en étant plus conservatrices, les féministes anglaises furent les premières à se constituer en groupes de militantes, surtout à cause de l'influence américaine. Le mouvement féministe au Québec prit son élan en 1968 alors que deux membres du McGill Students Union, Donna Cherniak et Allan Feingold, produisirent une brochure révolutionnaire sur les techniques anti-conceptionnelles. Du jour au lendemain, cette brochure devint un best-seller, se vendant au prix coûtant à plus de dix millions d'exemplaires en anglais et en français, au Canada et aux États-Unis. Afin de satisfaire à la demande insatiable qui provenait de groupes féminins et de collèges sur tout le continent nord-américain, on créa une maison d'édition sans but lucratif, Montreal Health Press, qui commença aussi à publier des livres sur des problèmes connexes.

À la suite de la publication de cette brochure en 1968, le contrôle des naissances et l'avortement devinrent des questions de première importance pour les mouvements féminins. Au début, Anglaises et Françaises tenaient des réunions conjointes. Mais elles se séparèrent assez rapidement pour former le Front de libération des femmes et le Montreal Women's Liberation. Quoique ces deux organisations fussent constituées séparément, elles s'unirent pour fournir informations et conseils sur l'avortement aux femmes qui en avaient besoin. Comme les membres de langue française étaient les seules à être bilingues, elles assumèrent la responsabilité des conseils en matière d'avortement pour toute la ville. Mais la vague nationaliste de 1972 provoqua un affrontement linguistique qui se solda par le refus du groupe de langue française de prodiguer ses conseils en anglais.

Cette prise de position provoqua la colère des féministes anglaises qui rapidement durent mettre sur pied leurs propres services. Mais elles durent du même coup aller au-delà des questions féminines pour s'interroger sur les transformations qui se produisaient au Québec. Progressivement, elles devinrent bilingues et reprirent leur place dans les réseaux féministes français. Elles travaillent fréquemment en français, mais s'occupent d'une clientèle surtout anglaise.

Les deux groupes manifestent des différences importantes dans leur philosophie d'action. Les féministes françaises sont portées à voir leur mouvement comme faisant partie d'un vaste programme de réforme de la société qui pour beaucoup d'entre elles comprend l'indépendance du Québec. Elles préfèrent généralement des solutions collectives aux problèmes qui se posent sur le marché du travail, au sujet des garderies et des questions matrimoniales. Par contre, les féministes anglaises se consacrent plus à l'aspect individuel que social de ces problèmes, et elles concentrent leur action sur l'information et la consultation.

Les mouvements écologiques furent beaucoup plus lents à se franciser parce que la population française mit plus de temps à s'intéresser à ces questions. *Save Montreal, STOP, Greenspaces, The James Bay Committee* et *The Canadian Coalition for Nuclear Responsibility*, par exemple, sont demeurés purement anglais pendant assez longtemps. Une des premières associations de ce genre à se franciser fut *Citizens on Cycles* qui devint Le Monde à bicyclette. Son fondateur, Bob Silverman, était convaincu qu'il fallait absolument s'implanter au sein de la majorité si l'on voulait acquérir l'influence politique nécessaire pour obtenir des pistes réservées aux cyclistes et des changements dans les règlements de la circulation. Une autre association prompte à se franciser fut *The Automobile Protection Association*, créée par un défenseur des droits du consommateur, Phil Edmonston, qui en français se fait appeler Louis-Philippe. Il est l'auteur d'une douzaine de livres sur l'automobile et les consommateurs, et il s'est fait une réputation à la Ralph Nader au Québec.

Vers 1973, il semble que l'on ait atteint l'efficacité limite de la contestation en marge de la politique. De nombreux militants anglais qui avaient œuvré dans des mouvements sociaux, féministes ou écologiques, commencèrent à explorer de nouveaux champs d'action. Grâce à leur connaissance nouvellement acquise du français et des problèmes sociaux de Montréal, beaucoup d'entre eux se sentaient mûrs pour la politique. Mais l'engagement au niveau provincial était exclu à cause de la question de l'indépendance du Québec, que l'on ne voulait pas aborder de front. C'est pourquoi ils se tournèrent vers la politique municipale où l'on pouvait aisément éviter les questions de la langue et de la souveraineté-association. L'important était de défendre une conception commune de ce que Montréal devait être: une ville sensible aux intérêts des quartiers et à ce qu'on appelait alors l'écologie urbaine.

C'est alors que progressistes anglais et français, issus des mouvements populaires, des syndicats, du Nouveau parti démocratique et du Parti québécois, se regroupèrent en vue de la conquête du pouvoir municipal. Ils fondèrent le Rassemblement des citoyens de Montréal, en 1974. Ce nouveau parti remplaça le Front d'action politique (FRAP) qui avait combattu sans succès le Parti civique du maire Jean Drapeau aux élections municipales de 1970. Faute d'assises populaires, trop doctrinaire et gauchiste, démagogiquement identifié au terrorisme du FLQ, le FRAP se disloqua et disparut au grand soulagement de tous.

Quatre organisations jouèrent un rôle capital dans la fondation du Rassemblement: le Mouvement progressiste urbain, qui était dominé par des anglophones, le Conseil régional inter-syndical de Montréal, certains éléments du Parti québécois, et la section québécoise du Nouveau parti démocratique. Dès le début, les anglophones jouèrent un rôle extrêmement important. Cela s'explique par le fait que le gros des forces progressistes du milieu anglais de Montréal s'y retrouvait alors que, pour les francophones, le Rassemblement ne représentait qu'un seul parmi plusieurs champs d'action possibles.

Cette coalition donna des résultats inespérés. Aux élections municipales de 1974, le Rassemblement obtint 45 pour cent des voix et fit élire 18 de ses candidats au Conseil municipal, sur un total de 54 membres. Du jour au lendemain, le nouveau parti devint un élément essentiel de la vie politique de Montréal. Il est intéressant de noter que les succès de cette coalition furent obtenus dans une conjoncture plutôt défavorable. C'était l'année où le Premier ministre Robert Bourassa présenta la Loi 22 à l'Assemblée nationale, et où la langue devenait un sujet de plus en plus litigieux. Lorsque plus tard des divisions apparurent au sein du Rassemblement, elles se produisirent non pas sur des questions linguistiques et culturelles, mais sur des points idéologiques. L'acceptation générale du français comme langue d'usage, à l'intérieur du mouvement et au siège social facilita l'entente et la coopération. Cependant, le parti était suffisamment décentralisé pour laisser chaque quartier libre de mener ses discussions dans la langue de la majorité des participants. Quant aux congrès généraux, les membres s'y expriment dans les deux langues, que tout le monde ou presque est censé connaître.

Le quartier de Notre-Dame-de-Grâce, qui est surtout anglophone et en grande partie de classe moyenne, devint un modèle de participation et d'organisation. Le conseiller Michael Fainstat a réussi à y créer une alliance efficace de groupes disparates comme les ligues de locataires, les cercles de l'âge d'or, et de particuliers, membres de professions libérales, commerçants, chefs de petites entreprises et militants de mouvements écologiques.

Alors que la gauche francophone, la go-gauche, avait réussi à détruire le FRAP en 1970, ce fut au tour de la gauche anglophone de provoquer des divisions paralysantes au sein du Rassemblement après les succès électoraux de 1974. Une gauche élitiste fit passer les discussions idéologiques avant l'action et entraîna le parti dans des débats interminables qui le détachèrent peu à peu de sa base et démobilisèrent ceux que l'action et l'animation intéressaient. Les extrémistes, comme Stephen Schecter, Henry Milner et le conseiller John Gardiner créèrent des dissensions qui rendirent le Rassemblement incapable de mener une lutte fructueuse aux élections municipales de 1978.

Après les sectaires de gauche, ce fut au tour de l'aile droite à contribuer à l'affaiblissement du Rassemblement. Les conseillers Nick Auf der Maur et Bob Keaton avaient dû démissionner du parti pour se présenter aux élections provinciales de 1976. Mais lorsqu'ils demandèrent à être réintégrés après leur défaite, ils se heurtèrent à la gauche qui sut rallier une majorité pour bloquer leur ré-admission. Les deux s'étaient déjà passablement éloignés de l'esprit du Rassemblement selon lequel l'action politique devait s'identifier très étroitement aux divers mouvements et structures de quartier. Tout en demeurant sociaux-démocrates, Auf der Maur et Keaton apparte-naient à l'école politique traditionnelle, celle des politi-ciens-vedettes qui comptent davantage sur l'impression qu'ils font auprès des foules et des media que sur le contact assidu avec leurs commettants. Ils croyaient fer-mement que le caucus des élus devait demeurer le maître de ses attitudes et de ses décisions.

Irrités depuis longtemps par les menées de la gauche, les deux décidèrent alors de participer à la fondation d'un parti rival, le Groupe d'action municipale, sous la direc-tion de Serge Joyal. Il arriva ce qui devait arriver: aux élections de 1978, les deux seuls représentants de l'oppo-sition à être élus furent Michael Fainstat et Nick Auf der Maur. Malgré ce revers, le Rassemblement continue à être un important instrument d'intégration de la population anglophone à la société québécoise. Il prépare la voie à une participation plus active et mieux enracinée à la poli-tique provinciale, une fois que sera réglée la question dite nationale.

Le mouvement syndical, quoique moins important qu'en milieu français, joua un rôle intégrateur analogue. Il était plutôt évident pour les dirigeants de syndicats d'instituteurs et d'infirmières qu'ils devaient s'allier à leurs homologues francophones. À la suite de la main-mise gouvernementale sur l'éducation et les services de santé, les relations patronales-syndicales devenaient tout à fait différentes. La bureaucratie québécoise exigeait une uniformité qui entraîna la formation d'un front commun syndical des salariés des secteurs public et parapublic.

Le Provincial Association of Protestant Teachers, qui représente environ 6 500 enseignants protestants, est sans doute un des meilleurs exemples anglophones du désir de participer à la vie québécoise. Le PAPT est particulièrement intéressant à cause de sa décision, en 1967, de s'allier à la Centrale des enseignants du Québec, alors qu'à ce moment-là rien ne l'y poussait. Pendant plusieurs années encore, cette association aurait facilement pu continuer à signer des accords à l'amiable avec les commissions scolaires protestantes. En 1967, le gouvernement faisait adopter une loi forçant tous les instituteurs à se regrouper en syndicats et à négocier à l'échelle provinciale. Le PAPT, étant simplement une association non syndicale qui n'avait jamais négocié de convention collective, reçut la permission de conserver ce statut. En somme, les protestants pouvaient se soustraire à loi s'ils le voulaient. Le Bureau des écoles protestantes du Grand Montréal, désireux d'échapper à la négociation provinciale et de conserver la plus grande autonomie possible, offrit au Montreal Teachers Association une convention avantageuse que le gouvernement s'engagea à étendre à tous les membres du PAPT. Mais on choisit le syndicalisme et les négociations provinciales de préférence aux ententes à l'amiable avec les commissions scolaires.

Ce fut une décision dont on ne saurait exagérer l'importance. En un sens le PAPT rompait la solidarité anglo-protestante vis-à-vis de la société française. Il reconnaissait que l'isolement historique des deux sociétés ne pouvait plus durer. C'était faire preuve d'une lucidité que peu d'institutions anglaises manifestaient à cette époque. Le PAPT prévoyait que la standardisation bureaucratique aurait bientôt raison de toutes les distinctions et de toutes les velléités d'autonomie. Or, pour avoir leur mot à dire dans la gestion du système d'enseignement, les instituteurs protestants jugèrent qu'il fallait s'allier à la CEQ et à la majorité française.

Ce geste dramatique ne fut pas sans créer de sérieux problèmes. Le seul leader syndical bilingue était Donald Peacock, président du MTA et vice-président du PAPT, originaire du Royaume-Uni et militant socialiste. Sans lui, l'organisation des enseignants protestants se serait sûrement effondrée. Ceux-ci étaient à l'époque extrêmement conservateurs et se considéraient comme des gens de profession plutôt que comme des syndiqués. C'est avec un certain dédain qu'ils entrevoyaient la perspective de la grève et du piquetage. En outre, l'idée de s'associer à un groupe aussi résolument nationaliste que la CEQ leur paraissait pour le moins alarmante. Mais en dépit de toutes ces réticences, le PAPT et la CEQ réussirent à négocier conjointement quatre conventions collectives après 1967. Éventuellement, la loi fut modifiée de manière à permettre une négociation séparée, ce que le PAPT refusa. Le seul syndicat à faire ce choix fut le Provincial Association of Catholic Teachers. L'enseignement anglo-catholique étant subordonné administrativement à la majorité française, le syndicat préféra conserver ses distances.

La collaboration entre les enseignants protestants et la CEQ se maintint à travers toute la période de tensions linguistiques, notamment durant les émeutes de Saint-Léonard, alors que les enseignants francophones demandaient des lois de plus en plus sévères pour empêcher l'intégration des immigrants aux réseaux scolaires anglophones. Les chefs syndicaux anglophones surmontèrent ces antagonismes communautaires et politiques et acquirent ainsi une meilleure connaissance du milieu français, ce qui leur évita certaines erreurs pénibles. Inspiré d'un sain réalisme, le PAPT refusa d'accepter les entorses à la convention collective qu'aurait inévitablement entraînées l'admission clandestine dans le réseau protestant d'enfants exclus par la Loi 101. Le syndicat jugea que ce geste n'aurait mené qu'à un affrontement stérile avec la majorité française. Beaucoup plus réalistes que les dirigeants scolaires, ces syndicalistes préparaient la voie à une meilleure entente entre les deux principales communautés linguistiques du Québec.

L'intégration personnelle à la société française passe

évidemment par celle des groupes et des institutions. Les anglophones militant dans des organisations populaires, dans le Rassemblement des citoyens de Montréal, ou dans des syndicats, ont dû s'adapter à la société française pour éviter une marginalisation croissante des groupes dont ils défendaient les idées et les intérêts. Toutefois, il existe un assez grand nombre d'anglophones qui réagissent à la situation actuelle en tant qu'individus. Contrairement aux groupes et aux institutions, ces gens peuvent faire divers choix, tels celui de demeurer confortablement installés à l'intérieur de ghettos anglais, ou encore celui d'émigrer vers d'autres régions du Canada où il n'existe pas de complications du genre de celles que l'on trouve à Montréal.

Un autre choix possible est de s'aventurer du côté français. La voie la plus fréquemment choisie est le milieu de travail. Au lieu de faire carrière dans des institutions anglaises comme l'Université McGill, la Fonction publique fédérale ou la Sun Life Assurance Company, certains se dirigent vers l'Université de Montréal, ou vers des entreprises publiques comme Sidbec et l'Hydro-Québec, ou vers l'administration municipale de Montréal. Un nombre assez important de personnes ont fait le choix du dépaysement bien que n'ayant qu'une connaissance rudimentaire du français et que de vagues notions de ce que pouvait être la société française. Mais ils étaient prêts à courir l'aventure psychologique et financière.

Il est intéressant de rappeler que ceux qui ont opté pour le travail en français n'appartiennent généralement pas à la société anglo-protestante montréalaise. La plupart sont des Juifs, des enfants d'immigrants, ou encore des Américains, des Britanniques ou des Canadiens d'autres provinces. C'est probablement cette marginalité par rapport à la communauté anglaise de Montréal, cette absence de racines, qui permet de facilement traverser les frontières linguistiques et culturelles.

Les universités francophones comptent un assez grand nombre d'anglophones parmi leur personnel enseignant. On retrouve, à l'Université de Montréal, par exemple, l'Américaine Kathleen Connors en linguistique, l'Ontarien Leonard Dudley en sciences économiques, et le psychologue Ethel Roskies qui est d'extraction juive montréalaise. Les vues exprimées par le professeur Roskies sont typiques de nombreux Juifs et immigrants qui ont commencé par s'intégrer à la communauté anglaise et qui, par la suite, se sont dirigés du côté français: « Nous nous sommes toujours sentis marginaux dans la communauté anglaise qui ne s'est jamais montrée très accueillante à l'égard des Juifs. Comme nous savions que nous serions toujours marginaux, il importait peu que ce soit dans une communauté ou l'autre. Nous serions toujours et partout des étrangers. »

La Fonction publique provinciale et municipale compte aussi un certain nombre d'anglophones, dont un exemple typique est l'architecte Alex Kowaluk au service d'urbanisme de la ville de Montréal. Comme le professeur Roskies, il ne s'est jamais senti particulièrement attaché à la communauté anglaise. Né à Montréal de parents ukrainiens de classe ouvrière, il fit ses études à l'Université McGill et fit partie pendant quelques années d'études d'architectes anglophones. Ne parlant aucunement le français, il décida quand même de plonger: « Je n'étais pas vraiment intéressé à l'entreprise privée. En outre, je ne me sentais pas accepté par les anglophones à cause de mes origines. Mais j'aimais les gens de langue française et je voulais participer à la vie québécoise, c'est pourquoi je suis venu travailler pour la ville. »

Durant toute cette période de tensions politiques, il se trouva peu d'hommes d'affaires anglophones disposés à quitter des postes dans la grande entreprise canadienne pour aller travailler en français. Mais leur nombre augmente peu à peu. Les Caisses populaires Desjardins, la société d'ingénierie SNC, Sidbec et l'Hydro-Québec comptent tous des anglophones travaillant en français sans aucun problème.

Terence Dancy, qui est à la direction de Sidbec, est né en Grande-Bretagne. Il travailla dans l'industrie sidérurgique américaine jusqu'à ce qu'il soit recruté par Sidbec. Il arriva à Montréal en pleine crise d'octobre 1970, mais ne se laissa pas effrayer par le climat politique. Ne connaissant nullement le français, il se mit à l'apprendre et il est maintenant parfaitement bilingue. Mais les hommes d'affaires et les gens de professions travaillant dans les entreprises françaises ne font guère de politique et évitent soigneusement toute controverse. Par contre, leur expérience personnelle peut avoir un effet d'entraînement sur la communauté anglaise en contribuant à faire tomber les anciennes barrières.

Le groupe d'anglophones le plus controversé est celui qui manifeste sympathie et encouragement au nationalisme et à la cause de l'indépendance. Ces gens se disent prêts à appuyer la souveraineté-association. L'avocat Paul Unterberg est le premier et le seul anglophone à s'être présenté candidat du Parti québécois à une élection provinciale. On retrouve deux fonctionnaires anglophones parmi le personnel politique du parti au pouvoir. Ce sont David Payne, immigrant britannique, ex-enseignant dans un CEGEP de Montréal, qui est maintenant conseiller spécial auprès du ministre d'État au développement culturel, Camille Laurin, et David Levine, ancien directeur d'un centre de services communautaires, qui est conseiller spécial auprès du ministre d'État au développement économique, Bernard Landry. En outre, on compte environ deux cents anglophones membres du Parti québécois, qui militent dans quelques comtés. Comme ces chiffres l'indiquent, peu d'anglophones sont attirés par le Parti québécois. Mais il se peut que leur nombre augmente une fois réglée la question nationale.

À part les anglophones péquistes, deux groupes ont témoigné leur appui à la souveraineté-association sans être nécessairement favorables au Parti québécois. Le premier fut le Comité anglophone pour un Québec unifié.

Il s'agit d'une association de jeunes socialistes d'accord avec certains aspects de la Loi 101 et qui, dans un mémoire présenté à l'Assemblée nationale, tenaient à se dissocier des vues intransigeantes présentées par l'élite économique anglaise. Ce groupe n'existe plus aujourd'hui.

Le second mouvement se nomme le Comité anglophone pour la souveraineté-association qui fut formé expressément dans le but de faire campagne en faveur de cette option constitutionnelle. Son président est Henry Milner, un militant d'extrême gauche au sein du Rassemblement des citoyens de Montréal, professeur de CEGEP et auteur de deux livres sur le Québec. Parmi les autres membres de ce mouvement, on relève les noms de Robert Dean, directeur régional du syndicat des Travailleurs unis de l'automobile, de Gary Caldwell, professeur de sociologie à l'Université Bishop's, et de Donald Waye, ingénieur à la société SNC.

Le CASA poursuit un double objectif. On veut premièrement convaincre les anglophones du mérite de la souveraineté politique pour le Québec et de l'association économique avec le reste du Canada. En deuxième lieu, on veut sensibiliser la population française à la composition variée de la communauté anglaise du Québec. Selon le CASA, la souveraineté-association est une option qui ne devrait être influencée d'aucune manière par des considérations ethniques ou linguistiques: la polarisation actuelle entre fédéralistes anglophones et souverainistes francophones est dangereuse et doit être combattue. Pour le moment, ces militants ont peu d'influence sur la communauté anglaise qui les considère comme des illuminés ou des traîtres. Même parmi la population française, où l'idée de souveraineté-association est indissolublement liée au sentiment nationaliste, ces anglophones sont accueillis avec suspicion. C'est pourquoi on attend le jour où les choix politiques ne seront plus dictés par des sentiments nationalistes ou d'appartenance ethnique,

mais par un désir véritable de sortir de l'impasse constitutionnelle actuelle. Mais les membres du CASA sont aux
prises avec la conception historique du pays qui est
profondément implantée dans l'esprit de la population
anglophone. Celle-ci est hantée par la possibilité d'une
rupture de l'unité politique du Canada.

C'est de ces divers milieux, plus ou moins marginaux pour le moment, que sortiront les nouvelles élites
qui assumeront tôt ou tard la direction de la communauté
anglaise. Les attitudes rigides des élites économiques actuelles, leur incapacité de comprendre des cultures et
des aspirations différentes des leurs, la propension
qu'elles manifestent à fuir le Québec, créent des conditions qui rendent le changement inévitable. Quant à la
relève qui s'annonce déjà, ce ne sont pas leurs idées politiques en soi qui importent, mais bien leur curiosité intel-
lectuelle, leur souplesse et leur aptitude à accepter le
changement et le dépaysement.

Ces personnes, qui explorent présentement de nouvelles formes de relations avec le milieu francophone,
ne sont pas encore très nombreuses. Mais elles seront
bientôt appuyées par des contingents de jeunes qui auront
fait l'apprentissage du français dans des écoles françaises
ou dans des classes d'immersion. La fin du monopole
anglais dans le domaine économique ainsi que l'acquisition d'un bilinguisme et même d'un biculturalisme nouveaux contribueront à modifier de façon radicale les comportements politiques de la communauté anglaise. Cette
évolution lui redonnera une force sociale et économique
qui est maintenant plus basse qu'elle ne l'a jamais été.

La lente transformation que subit actuellement la
communauté anglaise n'a pas encore atteint la conscience
qu'elle a d'elle-même. Les agents de cette transformation
n'ont pas davantage pris la mesure des changements
qu'ils provoquent dans leur propre milieu. Personne n'a
de vue d'ensemble sur ce qui est en train de se produire.

Une des raisons de cet état de choses est l'incapacité

des media anglophones d'aborder toute question allant à l'encontre de l'idée que se fait le public de ses propres besoins sociaux et politiques. On consacre très peu de temps et d'espace aux mouvements qui préconisent le changement. Celui qui bénéficie de la plus grande attention est le Comité d'action positive, formé après les élections de 1976 dans le but de défendre les droits linguistiques anglais et de combattre la thèse de la souveraineté-association. Mais l'absence de toute critique sociale de la part de ce mouvement indique assez clairement que son principal intérêt est la défense du statu quo, et qu'il n'est guère intéressé à promouvoir un changement fondamental dans les relations entre Anglais et Français au Québec. Par contre, le Rassemblement des citoyens de Montréal et le groupe Participation-Québec sont souvent ignorés par les media. Mais c'est un silence qui exprime la peur et l'anxiété, alors que l'évolution de la société anglaise se poursuit imperceptiblement et presque dans l'ombre.

La carrière de Reed Scowen au sein du Parti libéral du Québec illustre les difficultés d'une saine discussion publique. Il fut élu pour la première fois à l'Assemblée nationale en 1978 à la faveur d'une élection partielle dans le comté anglophone de Notre-Dame-de-Grâce, à Montréal. Originaire des Cantons de l'est, homme d'affaires et ensuite fonctionnaire fédéral, il tente de rallier la communauté anglaise à une vue plus réaliste de sa situation au Québec. Selon lui, la nature du fédéralisme canadien exige que le sort de la communauté anglaise soit entre les mains de la majorité française, laquelle, dans son propre intérêt, ne peut se permettre d'être trop rigide. Cette situation laisse place à la négociation sur deux points particuliers: la reconnaissance de la primauté du français et celle des droits minoritaires anglais. L'accueil plutôt froid dans les media et l'opinion indique que la population anglophone est encore très loin de ce genre d'hypothèse et qu'elle tend encore à s'en remettre au

pouvoir fédéral et aux institutions économiques canadiennes pour rétablir la situation.

L'aspect nouveau de la stratégie de Scowen réside
dans l'hypothèse que la communauté anglaise possède
encore un certain pouvoir de marchandage, indépendant
de l'économie, dont elle peut tirer parti pour défendre
ses intérêts collectifs. Or, ce pouvoir, que Scowen veut
canaliser au niveau provincial par l'entremise du Parti
libéral, repose justement sur la percée que les nouvelles
élites anglophones ont effectuée en milieu français grâce
à leurs activités communautaires.

CHAPITRE XII

La nouvelle société économique canadienne

Les tensions qui se manifestent actuellement au Québec sont généralement interprétées comme découlant du désir de la population française d'occuper tout l'espace économique situé à l'intérieur des frontières de la province. Cela a entraîné une attaque directe contre la primauté de la langue anglaise dans le monde des affaires et contre le contrôle exercé par la communauté anglaise sur les grandes sociétés.

Le nouveau régime politique et constitutionnel devant résoudre la crise créée par cet affrontement, est encore inconnu. On s'interroge sur l'étendue de la participation du Québec à l'ensemble canadien et sur la nature des liens qu'elle conservera avec celui-ci. Parallèlement, il est impossible à ce stade-ci de prévoir l'importance numérique que conservera la communauté anglaise une fois que les objectifs de la Loi 101 auront été atteints, et quelle sera la nature de sa participation à la vie sociale et politique du Québec une fois assurée la sécurité de la langue et de la culture françaises.

Cette situation, que l'on a trop tendance à considérer de source exclusivement québécoise, n'est en réalité qu'une facette de la profonde transformation que subit le Canada tout entier. Il est certain que si la province a été marquée par le déclin de Montréal, le pays le fut tout autant. On ne saurait s'attendre que les structures sociales et économiques associées à ce que l'on a appelé l'empire commercial du Saint-Laurent lui survivent bien long-temps.

Le malaise qui s'exprime depuis 1960 vient du désir de se libérer des rôles historiques qui furent attribués et acceptés alors que le régime anglais s'installait au Québec après 1759. La division ethnique du travail voulut que les Anglais assument le domaine de l'économie et du commerce, alors que les Français durent se contenter d'activités reliées à l'organisation sociale et culturelle. C'était pour la population française une façon relativement facile d'accepter les conséquences d'une conquête militaire. C'est donc sur cette base qu'elle s'adapta à la pyramide ethnique qui fit son apparition au Canada avec les premières vagues d'immigrants au XIXe siècle. Mais c'était une adaptation incomplète, car le Québec français fut constamment tiraillé depuis entre la participation et la marginalité par rapport à la vie économique du Canada.

L'immigration n'entre pas dans le champ d'expérience de la société française, sauf pour avoir contribué à sa minorisation et avoir amené des concurrents dans le commerce et dans le travail à rabais. Mais elle a joué un rôle extrêmement important dans le développement du Canada anglais, et aujourd'hui sa contribution à l'ensemble de la société canadienne est plus significative que jamais.

La première vague d'immigrants non britanniques contribua surtout au peuplement de l'Ouest. Les Ukrainiens et les Allemands établirent des communautés rurales où leur culture et leur langue pourraient survivre. D'autres s'établirent dans des villes où les ghettos satisfaisaient à la plupart de leurs besoins sociaux. Les plus récemment arrivés commençaient en bas de l'échelle, mais grâce à leur esprit de travail et à leur propension à l'épargne, ils s'élevaient peu à peu. Ils s'intégraient aux grands courants de la vie canadienne tout en conservant leur langue pendant deux ou trois générations. Cependant, autant individuellement que collectivement, chaque groupe d'immigrants reconnaissait l'existence d'une sorte de hiérarchie ethnique au sommet de laquelle se trouvaient les Anglo-protestants, étroitement identifiés à la gestion de l'économie. Cet état de choses ne fut pas contesté avant longtemps, car il semblait normal, en dépit des injustices criantes qui pouvaient en résulter. Les immigrants arrivèrent en vagues assez considérables pour maintenir une grande cohésion dans leur pays d'adoption. D'ailleurs, les événements historiques favorisaient des migrations de masses: la famine en Irlande, les pogroms en Russie et en Pologne, le chômage dans les pays méditerranéens, la pauvreté accablante dans les Antilles, ou la guerre en Europe et en Asie.

En plus de former des ghettos à l'intérieur des villes, les immigrants avaient aussi tendance à se concentrer dans certaines occupations, comme les Juifs dans le vêtement et le petit commerce, les Italiens dans certains métiers de la construction, les Noirs dans les services de l'hôtellerie et des chemins de fer, les Chinois dans la buanderie et la restauration, et ainsi de suite. Ceci créa des liens entre ethnicité et occupation, ainsi qu'entre ethnicité et classe sociale.

Ce n'est que vers 1960, alors que de nouvelles notions de justice et d'égalité firent leur apparition, que l'on commença à rejeter cette stratification ethnique et sociale au

Canada. Encore en 1957, le Premier ministre Louis Saint-Laurent menait une campagne électorale sur le thème de la « mosaïque canadienne ». Son but était de promouvoir une meilleure entente entre Canadiens de différentes. origines ethniques, ainsi qu'une meilleure compréhension de la contribution des immigrants et des Canadiens français à la vie nationale. Mais rien n'indiquait à ce moment que le Parti libéral songeait à apporter des modifications à l'exercice du pouvoir économique. L'expression utilisée par Saint-Laurent trouva un écho quelques années plus tard dans le titre d'un ouvrage du sociologue canadien, John Porter, *The Vertical Mosaic*, qui décrivait les mécanismes et l'étendue du pouvoir anglo-protestant sur la pyramide ethnique au Canada.

La stratification ethnique au Canada anglais commença à se désagréger avant qu'elle ne devienne une source de tensions sociales comme celle qu'on vit aux États-Unis. De nombreux facteurs y contribuèrent, mais le plus important fut sans doute l'avènement de l'éducation de masse. L'accessibilité de l'école à toutes les classes de la société fit en sorte qu'il devint impossible de maintenir plus longtemps ce système discriminatoire qui existait depuis si longtemps. Des groupes qui avaient été exclus de certaines occupations virent leurs horizons professionnels s'élargir considérablement.

Simultanément, la croissance bureaucratique dans l'entreprise privée et l'administration publique contribua à de nouvelles définitions de tâches qui réduisirent la plupart des occupations au bureau et en usine à des gestes répétitifs et mécaniques. Alors que certains postes eussent pu, à un certain moment, exiger certaines qualifications indéfinissables que seuls les groupes dominants possèdent, leurs nouveaux contenus simplifiés les rendirent accessibles aux diplômés que les systèmes d'enseignement commençaient à produire en quantité industrielle. C'est à ce moment aussi, entre 1950 et 1960, que l'industrie commença à se soumettre plus sérieusement à des critères objectifs de compétence. Quoique ce régime d'embauchage et de promotion au mérite manifestait encore certains préjugés plus ou moins conscients, comme à l'égard des femmes, il contribua néanmoins à modérer les tensions qu'une société stratifiée aurait inévitablement ressenties.

La stratification et la pyramide ethnique mirent beaucoup plus de temps à disparaître à Montréal où les Anglo-protestants continuaient à exercer un ascendant exorbitant par rapport à leur pouvoir réel au sein de l'économie canadienne. Le pluralisme qui se manifestait ailleurs au pays n'avait pas encore prise à Montréal. Une explication plausible est que la ville était dominée par des entreprises telles que les banques et les compagnies d'assurances que caractérise l'immobilisme social. Non seulement Montréal ne commandait plus l'évolution du pays, mais il se trouvait de plus en plus isolé des grands courants canadiens.

Si Montréal n'a pas évolué parallèlement au reste du Canada, c'est aussi que les élites francophones n'étaient pas intéressées au pluralisme qui, peu à peu, s'implantait dans les provinces anglaises. En tant que groupe, les francophones n'étaient pas disposés à se joindre à la société canadienne, sauf à leurs propres conditions qui comportaient l'acceptation de leur langue et de leur culture dans la Fonction publique fédérale et, surtout, dans les grandes entreprises nationales. Le nationalisme québécois n'était guère intéressé à l'affirmation d'un égalitarisme individuel. Son objectif était le partage collectif du pouvoir exercé depuis la Conquête par les Anglo-protestants. Malheureusement, dès la fin de la Seconde Guerre mondiale, ce pouvoir échappait aux élites anglophones de Montréal pour se concentrer à Toronto ou se disperser vers l'Ouest. Le nationalisme québécois ne parvenait qu'à perpétuer l'acceptation par les différents groupes ethniques à Montréal du leadership économique et social de la communauté anglaise. Ces groupes s'y identifiaient sans aucune compréhension des subtilités historiques sur lesquelles reposaient les exigences et l'animosité des francophones.

La persistance de la stratification ethnique à Montréal se manifeste de plusieurs façons. Le sentiment d'appartenance ethnique occupe une place disproportionnée dans les discours politiques qui portent trop souvent sur les moyens d'y satisfaire. Ceci affecte évidemment le marché du travail à cause des attitudes défensives prévalant de part et d'autre. Il est difficile d'établir jusqu'à quel point cette situation peut être responsable du climat stagnant qui règne à Montréal, mais il est certain qu'elle contribue à perpétuer des structures socio-économiques désuètes et qu'elle entrave l'émergence de rapports plus créateurs et dynamiques entre les diverses composantes de la société québécoise. Seule une société vraiment pluraliste, où la discrimination et l'exclusivisme ne seraient plus institutionnalisés comme ils le sont maintenant, permettrait au Québec de retrouver l'optimisme social qui fait défaut depuis trop longtemps déjà.

On a souvent fait état, depuis la création du Parti québécois il y a plus de dix ans, du fait qu'une partie de la population française vivait déjà psychologiquement dans un état d'indépendance politique. Cependant, l'ironie du sort veut qu'au même moment les Québécois francophones soient appelés à laisser de côté cette identité de groupe qui a nourri les aspirations collectives et le désir d'indépendance et qui a survécu pendant plus de deux cents ans sous le seuil de la conscience politique.

La nécessité de faire des immigrants des citoyens à part entière semble évidente à tout le monde, car c'est la seule façon pour le Québec français, avec son taux de natalité très bas, de soutenir une culture et une économie moderne. Néanmoins, la transformation d'une mentalité d'état de siège en un état de sécurité relative est difficile à réaliser. Même le gouvernement du Parti québécois, qui théoriquement est en faveur d'une société pluraliste, ne peut s'empêcher de faire des distinctions entre « Québécois de vieille souche » et « Québécois de nouvelle souche ». Le gouvernement, comme la majorité de la population française, a du mal à abandonner cette idée que pour être un véritable Québécois, il faut être le descendant direct d'un des 60 000 colons qui vivaient sur les rives du Saint-Laurent au milieu du XVIIIe siècle. Il est difficile de déraciner des habitudes séculaires comme celle de définir l'appartenance à la société québécoise au moyen de critères tels la langue, l'accent, les attitudes sociales et religieuses, l'enthousiasme manifesté à l'égard du folklore et des valeurs traditionnelles, ou même l'intensité des sentiments patriotiques et nationalistes.

L'obstacle qui, à leur stade actuel d'évolution politique, empêche les Québécois de langue française d'accepter la présence autonome de cultures étrangères dans leur propre milieu, est précisément ce qui les empêche de s'identifier au Canada comme pays. Les réflexes de défense et les attitudes d'exclusivisme qui ont soutenu le nationalisme québécois pendant si longtemps ne peuvent être rejetés dans l'espace d'une seule génération. Cela ne fait pas plus de vingt-cinq ans, dix ans avant le début de la Révolution tranquille, que l'on a commencé à anticiper la possibilité d'une société pluraliste au Québec et que des intellectuels, actifs dans des mouvements réformistes et dans le Parti libéral du temps, commençaient à promouvoir l'acceptation de différences religieuses, sociales ou autres. Mais le Québec accusait un retard considérable par rapport à ce type de changement qui commençait à se réaliser ailleurs au pays.

En plus des tensions culturelles qui se manifestent au Canada et au Québec, il y a aussi des tensions que l'on pourrait relier à la territorialité et qui ressortissent principalement à l'activité économique. À cet égard il existe une analogie frappante entre le comportement des Québécois francophones et celui de la nation Dénée dans les Territoires du Nord-Ouest. L'exclusion pratiquée par la culture anglaise dominante a poussé les Français et les Amérindiens à se replier sur leur culture respective et à chercher sa consolidation sur un territoire donné qui pouvait être considéré comme étant le leur. Le contrôle des richesses naturelles exigé par les Dénés vis à établir une ligne de défense contre la destruction de leur environnement, et par conséquent de leur mode de vie, par l'exploitation à outrance, caractéristique de l'économie de l'homme blanc nord-américain. Or ces exigences furent rejetées par les autorités fédérales, et la raison invoquée fut qu'un État Déné dans ces circonstances ne saurait être autre chose qu'un État raciste. C'est le même argument qui fut invoqué à l'encontre d'un Québec indépendant où la population anglaise ne posséderait aucun droit linguistique ou culturel.

Les élites anglo-protestantes au Canada se sont toujours montrées inflexibles quant au contrôle qu'elles exerçaient sur l'ensemble de l'économie, que les pressions soient formulées sur une base ethnique ou territoriale. C'est cette attitude qui explique le désir de liquider la société française en 1840, de réprimer la rébellion métis en 1890, et tout récemment de rejeter les revendications dénées dans les Territoires du Nord-Ouest. C'est la même attitude qui empêche les hommes politiques anglo-canadiens de reconnaître que les autorités fédérales pourraient peut-être devoir un jour négocier la souveraineté-association, la plus grande menace à l'intégrité territoriale du pays.

Comme dans le cas de la stratification ethnique, de la pyramide ethnique, certains indices laissent croire que d'importants changements sont à la veille de se produire dans la façon dont se manifeste l'esprit territorial au Canada. Les grandes sociétés nationales semblent prêtes à certains accommodements pour composer avec les pressions croissantes qu'exerce la classe moyenne française désireuse d'obtenir une plus grande participation à la gestion de l'économie canadienne. Mais au lieu d'accepter une présence française dans les centres mêmes du pouvoir économique, on préfère la création d'une sorte de réserve française à l'intérieur des frontières du Québec. On semble prêt à abandonner ce contrôle direct qui s'est exercé historiquement sur l'économie québécoise, et abandonner ce pouvoir à des intermédiaires francophones qui fatalement feront preuve d'une autonomie de plus en plus grande. C'est ce qu'annoncent le déplacement des sièges sociaux et la création de filiales québécoises. L'économie unitaire, monopolisée par une seule classe et par un seul groupe ethnique, et qui a existé pendant la plus grande partie de l'histoire du Canada, commence ainsi à se fragmenter.

La gestion même de l'activité économique subit à l'heure actuelle une transformation significative. On imagine généralement que l'exode des sièges sociaux hors de Montréal tend à recréer un nouveau centre national de décision, mais cette fois-ci à Toronto. Or, cette migration ne reproduit pas la concentration de pouvoir qui était caractéristique de Montréal à son apogée. Quoique Toronto soit le siège d'un nombre croissant de sociétés canadiennes, les véritables fonctions de gestion ont maintenant tendance à se disperser à travers tout le pays alors que s'affirment certains intérêts régionaux que la centralisation d'autrefois avait une forte tendance à réprimer.

Depuis plus d'une centaine d'années, c'est-à-dire depuis le peuplement des Prairies, la prospérité du Canada s'est fondée sur une forme de spécialisation régionale qui favorisait la production la plus économique possible de biens manufacturés, de produits agricoles et de matières premières. C'était une nécessité vitale pour un pays où la densité de peuplement était faible, et qui dépendait dans une large mesure des marchés d'exportation. La politique gouvernementale, surtout en ce qui a trait aux transports et aux subventions de développement, cherchait à abaisser les coûts de production pour que les exportations canadiennes demeurent concurrentielles à l'étranger, et à augmenter la capacité productrice de chaque région du pays en céréales, en bois, en minerais, en produits de la pêche et en biens manufacturés. Le tarif imposé aux chemins de fer encourageait et protégeait la spécialisation régionale. Il décourageait du même coup toute diversification de l'activité locale.

La domination exercée sur l'économie canadienne par les promoteurs et les intermédiaires faisait que les profits spéculatifs étaient canalisés vers les banques et autres institutions financières. Ces fonds étaient généralement réinvestis dans des projets gigantesques, appuyés par les fonds publics. On perpétuait ainsi le déséquilibre traditionnel des économies locales. Un autre effet défavorable de la division régionale du travail était que des populations entières demeuraient à la merci des fluctuations cycliques du commerce international, sans le recours d'autres sources d'emploi et de revenus.

Des mouvements populaires commencèrent dès le début du XXe siècle à s'attaquer à cette situation. Ils comprenaient des mouvements dits progressistes et populistes, ainsi que de nombreuses coalitions d'intérêts agraires. Plus tard se formèrent des partis politiques de droite comme le Crédit social, ou de gauche comme le Cooperative Commonwealth Federation qui devint par la suite le Nouveau parti démocratique. Au Québec, l'Action libérale nationale entreprit vers 1930 la lutte contre ce qu'elle appelait le trust de l'électricité, et contre les manipulations financières qui contribuaient à hausser les coûts des différents services publics.

Tous ces mouvements avec leurs programmes et leurs idéologies contradictoires étaient quand même d'accord sur un point fondamental, soit la nécessité de briser le contrôle qu'exerçaient les institutions financières sur les gouvernements, sur les entreprises locales, sur la terre et sur la population elle-même. Cette réforme permettrait de créer une économie régionale plus diversifiée et offrant une meilleure protection contre les monopoles et les cartels, et contre les fluctuations ruineuses des prix agricoles et des taux d'embauche industrielle.

L'action politique ouvrait la perspective de lois qui défendraient le producteur individuel contre les puissantes coalitions de spéculateurs, d'intermédiaires internationaux et de banques cherchant à monopoliser l'exportation des produits agricoles et des matières premières. En réponse aux pressions populaires, les différents gouvernements légiférèrent afin de créer des conditions de mise en vente plus équitables. Parallèlement, de nombreuses mesures sociales vinrent aplanir l'effet des fluctuations économiques, comme le firent aussi le mouvement coopératif et diverses institutions prêteuses financées à même les fonds publics pour soutenir les investissements des propriétaires agricoles individuels.

Pendant que s'améliorait la sécurité économique collective, de nouvelles formes de mécontentement firent leur apparition. Elles affichèrent une ressemblance étonnante avec les nouvelles attitudes qui entraînaient le rejet de la stratification ethnique. Dans un cas comme dans l'autre, ce qui devenait inacceptable était les horizons restreints s'offrant aussi bien aux individus qu'aux groupes. La démocratisation de l'enseignement, qui avait mis fin à la spécialisation ethnique dans les villes, mit aussi fin à la spécialisation régionale qui avait été depuis fort longtemps à la base de l'organisation économique du Canada. Les populations commencèrent à se plaindre des limitations sociales et économiques qu'on leur imposait et refusèrent de se contenter plus longtemps des vocations traditionnellement assignées à leurs régions par les autorités fédérales et par les grandes institutions financières. Elles se mirent à réclamer une plus grande diversité professionnelle et insistèrent pour les obtenir sans avoir à s'exiler vers d'autres parties du pays.

Le Québec était durement frappé parce qu'il avait à souffrir des deux formes de spécialisation à la fois, ethnique et régionale, l'une servant à renforcer l'autre. Au mo-

229

ment de la Révolution tranquille, le gouvernement provincial fit un effort sans précédent pour diversifier l'activité économique. Il nationalisa les sociétés productrices d'électricité et jeta les bases d'une industrie sidérurgique intégrée. Il s'attaqua au pouvoir des banques et des institutions financières en créant un régime de rentes provinciales doté de sa propre caisse de dépôts fonctionnant de façon analogue à une banque centrale. Or, ce n'est qu'après que l'on eut commencé à modifier le caractère régional de l'économie québécoise et française, à réduire sa trop grande dépendance à l'égard d'activités industrielles exigeant une forte proportion de main-d'œuvre plutôt que de capitaux et de technologie, que le problème de la division ethnique du travail commença à attirer l'attention. C'est alors que se manifesta ce désir, maintenant identifié au mouvement nationaliste, de mettre fin aux domaines que l'histoire avait assignés aux Anglais et aux Français. La politique québécoise se concentra sur cette division, devenue insupportable, entre la culture et la vie économique.

Il fut impossible dès lors d'éviter l'affrontement avec la population anglaise de Montréal. Celle-ci, à l'encontre de l'élite financière, aurait peut-être été disposée, théoriquement, à accepter un nouveau partage du pouvoir économique. Mais elle n'était guère prête à abandonner les avantages qui découlaient de sa situation sous forme de postes intéressants et rémunérateurs dans la bureaucratie des grandes sociétés canadiennes. L'ensemble de la population anglaise se rangea donc carrément derrière les hommes d'affaires pour s'opposer à toute manifestation du nationalisme français, particulièrement en ce qui avait trait aux carrières, à l'utilisation du français dans les sièges sociaux, et à l'affirmation du pouvoir provincial au détriment de l'autorité fédérale.

Une des expressions souvent utilisées par le Premier ministre René Lévesque pour décrire les objectifs de son parti est l'avènement d'une « société normale », c'est-à-dire une société offrant toutes les occasions de développement personnel et collectif. Cet objectif ne diffère pas tellement de ceux qui sont formulés par le Premier ministre Peter Lougheed pour la province d'Alberta. Les redevances payées par les producteurs de gaz naturel et de pétrole au gouvernement sont investies dans un fonds qui doit aider cette province à diversifier son économie, à assurer à sa population une plus grande sécurité économique et un champ d'activités professionnelles infiniment plus vaste qu'auparavant. Ce genre de stratégie est le fait de plusieurs autres provinces désireuses de promouvoir un type de développement plus autonome et moins lié à la conjoncture.

Présentement, le Canada passe par une période transitoire qui, tout en n'étant pas entièrement perceptible, n'en est pas moins douloureuse et inquiétante. Cette crise résulte de l'échec de la vision économique traditionnelle comme principe d'organisation sociale. Dans ce pays à la population clairsemée, on a toujours sacrifié les objectifs sociaux à l'efficacité et à la productivité. Même l'identité canadienne fut mise en veilleuse afin de laisser le champ libre à la technologie et aux capitaux étrangers qui devaient apporter un niveau de vie plus élevé. En fait, il existe peu de pays industrialisés exerçant un contrôle aussi ténu sur leurs richesses naturelles, leurs institutions économiques et leur développement. Afin de promouvoir sa propre croissance, il a conservé une relation semi-coloniale avec la Grande-Bretagne d'abord, au moyen de la préférence impériale et ensuite avec les États-Unis avec différentes politiques continentalistes. On obéissait ainsi à l'impératif économique.

Il n'est pas surprenant que les conséquences d'une telle orientation soient lourdes à porter. Les plus évidentes sont la persistance de la stratification ethnique et de la spécialisation régionale, avec le caractère antidémocratique qu'elles conféraient toutes deux à la société canadienne. Ce type de régime économique et social produit une élite financière autoritaire et des gouvernements timorés et dissimulateurs. En même temps, le pays est accablé par un surinvestissement dans les entreprises nationales, et par un sous-investissement dans les services régionaux et locaux. Et comme l'expérience l'a démontré, le Canada est très vulnérable à ces problèmes contemporains que sont l'inflation et le chômage.

Quoiqu'il soit impossible d'anticiper ce que sera le caractère du pays, certains traits sont déjà prévisibles. Un des aspects de la transformation actuelle est l'importance croissante des individus par rapport aux institutions qui les encadrent. La régionalisation et la décentralisation rendront les administrations publiques plus sensibles aux besoins sociaux et culturels, et moins portées à les subordonner à la comptabilité nationale. Les institutions économiques privées perdront probablement une grande part de leur influence sur les gouvernements.

La question qui se pose est de savoir si les structures politiques du Canada pourront s'adapter à la nouvelle situation, où si elles devront éclater pour faire place à un nouveau type de relations entre les parties constituantes du pays. Il est évident que le Canada va graduellement substituer de nouvelles valeurs nationales à la rationalité économique qui a joué un si grand rôle depuis le début du régime anglais, mais est manifestement incapable de satisfaire les besoins présents. Il faudra donc en venir à formuler une politique économique qui soit en accord avec les aspirations de la population, et cesser de subordonner les attentes populaires et le sentiment national à des notions purement économiques de progrès et de développement.

Ces tendances qui se manifestent au Canada, et qui commencent à atteindre le Québec, devraient contribuer à atténuer les tensions entre Anglais et Français, et peut-être même aussi les rivalités gouvernementales et bureaucratiques entre Québec et Ottawa. L'opposition historique de la population française au fonctionnement du système économique perdrait beaucoup de sa force et de sa pertinence dans un contexte où ce sont les valeurs sociales et culturelles qui priment. Du même coup, il serait plus facile de réconcilier les politiques nationales à la façon dont la population française du Québec perçoit ses besoins et ses objectifs.

Mais le passé demeure difficile à liquider, et il continue à influencer profondément l'action politique. Dans le cas des deux principales communautés linguistiques de Montréal, il est impossible d'ignorer à quel point deux cents ans d'interaction ont pu modeler les comportements et les attitudes.

Le succès avec lequel le Canada résoudra la crise actuelle dépend des accommodements entre Anglais et Français à l'intérieur du Québec, et de la capacité de chaque communauté linguistique de se situer à l'intérieur d'une société pluraliste et égalitaire. L'importance du Québec dans cette situation tient à ce que le système politique canadien ne saurait fonctionner sans la collaboration des élites de langue française.

Il existe parmi la population française une tendance historique à se replier à l'intérieur d'un système fermé qui rejette toute influence étrangère et cherche à maintenir une homogénéité souvent étouffante. Or, le risque que l'on court est que la population française du Québec ne soit pas assez nombreuse pour maintenir par elle-même une culture florissante en Amérique du Nord. C'est à cet égard que l'apport canadien peut être d'une très grande importance. Quant à la communauté anglophone, qui éprouve tant de difficulté à renoncer à son rôle historique, son problème principal à l'heure actuelle est d'éviter la marginalisation de sa culture au Québec et de résister à l'étouffement progressif que pourrait entraîner une trop grande rigidité de la part de ses leaders.

La Loi 101:
un cheval de Troie

Lorsque la Loi 101 fut adoptée par l'Assemblée nationale en 1977, on pensait généralement que la survivance de la langue et de la culture françaises était enfin assurée. Les nouveaux immigrants s'intégreraient à la communauté française au lieu de s'angliciser. Le Québec français vivrait enfin à l'abri des pressions démographiques qui pesaient de plus en plus dangereusement sur lui, ainsi que des contraintes de la langue anglaise qui nuisaient à l'expression de sa culture. On se réjouissait de ce qu'enfin l'âme québécoise puisse s'exprimer librement et dominer son environnement social et économique.

Mais en moins de deux ans il commence à apparaître clairement que cette loi est aussi un cheval de Troie, que la société française est appelée non seulement à faire place à ces milliers d'immigrants qu'elle a forcés à se joindre à elle, mais aussi à se transformer elle-même au contact de ces nouveaux venus. Au moment où l'identité québécoise française semble pouvoir s'affirmer librement, elle doit accepter de devenir autre que ce qu'elle a toujours été. Le *nous* collectif est appelé à se modifier fondamentalement, car si les Vietnamiens, les Grecs et les Portugais acceptent la langue française, ils apportent avec eux de nouvelles valeurs qu'ils chercheront inévitablement à faire reconnaître par la société française. Le monolithisme qu'imposait le statut minoritaire au Canada devra se muer en un pluralisme conforme au nouvel esprit majoritaire que l'on veut instaurer au Québec.

L'effet de la Loi 101 ne fut pas seulement de limiter la croissance et la force socio-économique de la communauté anglaise. Elle contribua aussi à ouvrir la société française à des influences nouvelles d'une manière qui est sans précédent, sauf peut-être pour ce qui est de l'acceptation de la société industrielle dans la décennie qui a suivi la Rébellion de 1837. Cet effet secondaire de la loi n'a pas encore pénétré dans la conscience de la majorité. En fait, cette question fut complètement ignorée dans les nombreux documents et discours qui précédèrent l'inscription de la loi au feuilleton de l'Assemblée nationale. La possibilité que des immigrants intégrés de force à la société française puissent exercer une influence considérable sur celle-ci, n'effleura même pas l'esprit des sociologues et des hommes politiques qui présidèrent à la rédaction de cette loi.

Cela s'explique par le fait que depuis deux cents ans, l'un des premiers soucis de la société québécoise fut de s'isoler du monde extérieur, c'est-à-dire des Anglais, des immigrants et des courants d'idées étrangers. La majorité de l'élite francophone ignore complètement l'effet de l'immigration sur l'ensemble de l'Amérique du Nord, et ne se rend guère compte jusqu'à quel point la culture anglo-protestante a dû elle-même s'adapter à la présence de ces nouveaux venus. Cette évolution ne s'est pas faite sans affrontement et sans violence. Récemment, des mouvements aussi divers que le Black Power, la Cosa Nostra et la libération de la femme apparurent en réaction contre la marginalisation qu'imposait la culture dominante aux États-Unis. Les pressions qui en résultèrent ont modifié en très peu de temps la culture anglo-protestante au point de la rendre à peine reconnaissable. Il existe maintenant en anglais une vaste documentation sur les relations de groupes, sur les minorités ethniques et sur le pluralisme, et toutes ces idées figurent de façon perceptible dans la conscience nord-américaine.

Contrairement à la plupart des autres régions d'Amérique du Nord, le Québec français n'a pas eu à traverser de dures périodes d'adaptation comme New York, Boston, San Francisco et même le Montréal anglophone. Mais il y a une dizaine d'années, le gouvernement provincial, inspiré par des inquiétudes d'ordre démographique, créa son propre ministère de l'Immigration et formula un plan d'action en fonction des priorités culturelles du Québec. Des bureaux d'immigration furent établis dans différents pays aptes à fournir des immigrants de langue française, ainsi que des « francophonisables », comme on les appelait alors. Durant toute cette période de nationalisme intense, la société française demeura quelque peu xénophobe et tournée vers ses préoccupations historiques. Quoique les individus se montrèrent généralement accueillants envers les nouveaux venus, les principales institutions françaises, s'attendant à pouvoir les assimiler facilement, ne firent aucun effort pour les accueillir et s'adapter à cette nouvelle situation. Les écoles, les hôpitaux, les agences d'aide sociale, les syndicats et la Fonction publique sont de ce nombre.

Il y a vingt ou trente ans, le groupe anglo-protestant insistait encore sur l'assimilation complète et sur le conformisme de la part des immigrants. Aujourd'hui une telle attitude est intenable: les minorités et les marginaux ont acquis une force politique dont ils n'hésitent pas à se servir pour arracher des concessions à la société. Le meilleur exemple est sans doute celui des lois américaines qui protègent les droits minoritaires sur le marché du travail au moyen de contingentements.

Le modèle culturel que la société française tente de recréer pour elle-même au Québec est le modèle canadien de l'époque de 1930, selon lequel on s'attendait que les différents groupes ethniques se soumettent à la culture dominante et acceptent une certaine stratification ethnique en milieu de travail. Or, si le Québec veut faire l'économie des tensions et des luttes qui eurent lieu subséquemment aux États-Unis, il devra mettre en pratique le pluralisme qui s'y est développé depuis.

Déjà des pressions très fortes s'exercent en ce sens de la part des différents groupes ethniques rendus conscients de leurs droits par le traitement qu'ils ont subi depuis les événements de Saint-Léonard, et par la guerre de clientèle que se livrent les institutions anglophones et francophones. Ces groupes ont aussi à leur disposition toute l'expérience américaine pour les aider à se tailler une place dans ce nouveau Québec français. À cet égard, la Loi 101 marquait un point tournant, car elle leur imposait sans équivoque l'obligation de se joindre à la société française. Ces Québécois « de nouvelle souche », acceptent volontiers la prééminence de la langue française qui est pour eux un instrument de communication plutôt qu'un symbole d'identification collective. Mais on peut s'attendre qu'ils rejettent d'autres aspects de la culture française du Québec. Comme les Noirs, les Portoricains et les Chicanos, ils vont exiger des concessions importantes dans le domaine des mentalités et des valeurs sociales.

Le point le plus sensible dans ces nouvelles relations entre groupes ethniques et majorité française est sans doute le système d'éducation. À peine quatorze mois après l'adoption de la Loi 101, les premières tensions firent leur apparition. L'incident le plus probant fut sans doute l'affaire de l'école Notre-Dame-des-Neiges, à Montréal. L'association de parents, à caractère multiculturel, demanda que l'école soit déclarée non confessionnelle et que son statut catholique soit abrogé. L'institution est située dans le quartier de Côte-des-Neiges qui comprend de fortes minorités de Vietnamiens, de Juifs sépharades, de Noirs antillais, d'Indiens et de Pakistanais.

Quoique minoritaires, les parents catholiques suggérèrent à la Commission des écoles catholiques de Montréal de ne pas donner suite à cette requête. L'association de parents porta alors sa demande devant le Conseil supérieur de l'éducation qui y accéda au mois de mai 1979. L'institution perdit son statut catholique, mais conserva l'obligation de fournir l'instruction religieuse à tout étudiant qui en ferait la demande. Certains parents catholiques, n'acceptant pas cette décision, se mirent en frais de contester devant les tribunaux en invoquant certains articles de l'Acte de l'Amérique britannique du Nord.

Seulement quatre écoles dans la province ont déjà un statut non confessionnel, et elles sont toutes situées hors de Montréal. Leur statut vient de ce qu'il serait trop onéreux de maintenir un double système, catholique et protestant, dans certaines régions éloignées. Mais Notre-Dame-des-Neiges est la première école à perdre tout caractère religieux officiel en vertu de certaines dispositions des lois de l'éducation. Elle constitue à cet égard un précédent extrêmement important. Ce qui est en jeu ici, c'est le rôle des valeurs catholiques dans la société française, ainsi que les droits dont peuvent bénéficier le nombre croissant d'immigrants dans la province.

À Montréal, les catholiques constituent un groupe de pression très puissant qui a réussi au cours des dix dernières années à bloquer toute tentative d'unifier le système scolaire de l'île de Montréal et de subordonner les confessionnalités catholique et protestante à des considérations d'ordre économique et d'efficacité administrative. Au cours d'élections tenues en 1977 à la Commission des écoles catholiques de Montréal, une majorité de candidats s'affichant comme catholiques furent élus. Mais cette victoire ne s'explique pas par une recrudescence du sentiment religieux. C'est que le catholicisme sert à promouvoir certaines valeurs traditionnelles, dont la principale est l'autorité des parents sur les décisions intéressant l'avenir de leurs enfants. Les groupes de pression catholiques sont actuellement en lutte contre les pratiques centralisatrices et socialisantes de l'administration provinciale qui se sont substituées de plus en plus au pouvoir de décision que les parents avaient autrefois sur l'éducation de leurs enfants.

Éventuellement, cette lutte sera le fait des familles immigrantes qui chercheront à obtenir une discipline plus stricte et un meilleur enseignement de la langue anglaise. C'est-à-dire que, comme les parents catholiques, les familles immigrantes souhaiteront exercer une plus grande mesure de responsabilité au niveau local et obtenir une décentralisation des pouvoirs du ministère de l'Éducation au profit des associations de parents. Cependant, les immigrants refusent, à l'encontre des Québécois de langue française, que cette lutte se fasse par le biais du catholicisme. Il existe donc une certaine communauté d'intérêts, mais le rapprochement promet d'être lent et parsemé d'embûches.

Les groupes ethniques réclament aussi une participation accrue à l'administration du système d'enseignement, à l'élaboration des programmes, ainsi qu'une présence plus nombreuse parmi le personnel. On insiste sur le caractère multiculturel de tous les aspects de l'éducation. L'urgence que prend cette réforme s'illustre de façon dramatique par des problèmes que rencontrent les enfants haïtiens dans les écoles. Beaucoup d'entre eux sont refoulés vers des classes d'arriérés et d'enfants inadaptés simplement parce que les autorités scolaires sont incapables de tenir compte de faits culturels et sociologiques dans le classement de ces enfants et dans l'adaptation des méthodes d'enseignement à leur mentalité.

Au cours des dix dernières années, plus de 18 000 Haïtiens ont émigré au Québec, et on estime à 4 000 le nombre d'enfants inscrits dans le système scolaire. Un très grand nombre d'entre eux parlent surtout le créole et n'ont qu'une connaissance imparfaite du français. Néanmoins, les autorités scolaires les considèrent capables de s'exprimer en français et refusent de les placer dans des classes d'accueil pour nouveaux venus. Les autorités ne tiennent pas compte non plus du fait que l'enseignement des sciences et des mathématiques est très faible dans les écoles haïtiennes. Un autre facteur rendant plus difficile l'intégration des enfants haïtiens est l'ambiance très laxiste qui règne en classe et en récréation. Après avoir connu des systèmes plus autoritaires, les enfants se trouvent désorientés.

Les problèmes culturels des Haïtiens sont exacerbés par le fait qu'ils sont l'objet de traitements racistes à l'extérieur comme à l'intérieur de l'école. Plusieurs cas de brutalité policière à leur endroit se sont produits depuis quelque années à Montréal, mais le problème n'a pas ému l'opinion publique avant juin 1979, alors que la sûreté municipale utilisa la force pour évincer un groupe de jeunes Haïtiens d'un parc de la rue Bélanger, à Montréal.

Les Haïtiens, comme les autres groupes ethniques, sont en butte aux attitudes ethnocentriques du ministère de l'Éducation et à son ignorance complète des problèmes d'adaptation que des étrangers peuvent avoir au Québec. Ils exercent donc des pressions constantes en faveur d'une politique qui reconnaîtrait le caractère multiculturel de la société québécoise. C'était là une des principales recommandations d'un comité de Noirs montréalais chargés par la Commission des droits de la personne d'étudier les problèmes des enfants noirs pour le compte du Conseil supérieur de l'éducation. Dans un rapport présenté en

241

1978, le comité proposait que le ministère de l'Éducation établisse un service des minorités ethniques pour promouvoir la présence de leurs représentants à tous les niveaux du système d'enseignement et pour organiser des études ethniques comme partie intégrante de la formation des maîtres en milieu universitaire.

La santé et l'aide sociale sont deux autres domaines où les exigences des nouveaux arrivés se font particulièrement pressantes. Elles portent principalement sur les centres locaux de services communautaires dans les quartiers où se trouvent de fortes concentrations de Néo-Québécois. Ces agences parapubliques constituent des points d'accès à toute une gamme de services indispensables. Or, au moment même où s'amorçait la controverse de l'école Notre-Dame-des-Neiges, un groupe de travailleurs sociaux formèrent un front commun pour obtenir des changements importants dans les politiques institutionnelles. Les problèmes du quartier Saint-Louis, à Montréal, illustrent ce qu'ils avaient en tête.

Ce quartier est le point d'arrivée d'une foule d'immigrants qui fournissent la main-d'œuvre à bon marché nécessaire à de nombreux ateliers de l'industrie du vêtement et du textile dans les environs. Ces gens viennent généralement de petits villages du Portugal, de la Grèce ou de l'Amérique latine, et ils sont souvent en proie à de graves problèmes de désorientation culturelle au début de leur séjour au Québec. À cause de la nature harassante de leur travail, et parce qu'ils travaillent souvent en compagnie de leurs compatriotes, beaucoup d'entre eux ne réussissent jamais à apprendre le français ou l'anglais, ou encore à comprendre les rouages bureaucratiques de services comme l'Assurance-chômage, l'aide sociale, les garderies, les services de santé et même l'école.

Pour venir en aide à ces gens il est nécessaire de leur fournir conseils et renseignements dans leur langue d'origine, ceci sur des sujets aussi divers que l'alimentation, les soins prénatals et l'aide juridique. En plus d'être traduits, ces renseignements doivent être présentés de façon intelligible à des personnes de culture étrangère. Il faut savoir organiser des programmes d'aide de nature à satisfaire à des besoins se situant totalement en dehors du champ d'expérience des francophones et des anglophones. Pour être efficace, le service le plus banal doit être prodigué d'une manière qui démontre une sensibilité à des cultures différentes. Un Chinois en chômage éprouvera énormément de difficulté à expliquer ses problèmes familiaux à un travailleur social francophone. Il voudra communiquer avec un compatriote qui, en plus de parler sa langue, comprendra le milieu d'où il vient.

En dépit du fait que le Québec accueille environ 25 000 immigrants par année, ces préoccupations sont totalement étrangères au ministère des Affaires sociales en ce qui a trait aux programmes, au personnel et au financement des centres de services communautaires. Le gouvernement et les syndicats font parfois montre de désapprobation, sinon d'hostilité, lorsqu'il est question d'adapter les services à la clientèle. On est beaucoup plus porté à exiger que ce soient les immigrants qui s'adaptent à l'esprit bureaucratique et ethnocentrique du personnel en place.

Par exemple, l'Office de la langue française et le syndicat affilié à la Confédération des syndicats nationaux protestèrent tous deux lorsque les administrateurs d'un centre local de services communautaires du quartier Saint-Louis firent passer des annonces en vue de recruter des travailleurs de langue étrangère. Ils s'opposèrent, par exemple, au recrutement d'une infirmière chinoise pour desservir la population chinoise de ce quartier. À leurs yeux, les services en langue française sont tout à fait satisfaisants, et il n'existe aucun besoin de personnel de langue étrangère.

Ceci, évidemment, soulève la question de la représentation ethnique dans la Fonction publique qui, à l'heure actuelle, se situe à environ trois pour cent. Depuis la prise du pouvoir par le Parti québécois, et depuis qu'il est question d'une société entièrement de langue française, les groupes ethniques et la communauté anglaise se sont mis à faire pression pour que la Fonction publique soit plus représentative de la composition ethnique de la population québécoise. Pour le moment, ces représentations portent sur les trois principaux ministères suivants: Éducation, Immigration et Affaires sociales.

Cependant, la société québécoise prend peu à peu conscience de cette présence étrangère en son sein. Le ministre d'État au développement culturel, Camille Laurin, parcourt la province à l'écoute des groupes ethniques. Le ministre de l'Immigration, Jacques Couture, en fait autant. Radio-Québec diffuse en langue étrangère à certaines heures du jour. Le mouvement syndical commence à manifester un certain intérêt à toute cette question, comme par exemple, la Fédération des travailleurs du Québec qui tenait au printemps de 1979 un colloque consacré spécifiquement aux travailleurs d'origine étrangère. Mais il reste à savoir si ces consultations et ces discussions vont déboucher sur des solutions concrètes.

Pour le moment l'attitude officielle demeure parsimonieuse et paternaliste, ce qui éveille le ressentiment des groupes ethniques. Ils reconnaissent que le gouvernement a institué différents programmes pour faciliter leur intégration à la vie québécoise et, en même temps, faciliter la conservation d'un certain patrimoine folklorique. Mais ils se rendent bien compte que la société française n'est pas encore prête à les traiter d'égal à égal et à leur accorder le même accès au pouvoir qu'aux autres Québécois. Cette constatation fait que les immigrants ont tendance à considérer la société québécoise culturellement oppressive.

Ce jugement défavorable choque toujours les Québécois d'origine qui, se considérant un peuple opprimé, ne peuvent accepter l'idée qu'à leur tour ils puissent devenir oppresseurs. En outre, les Québécois de langue française conçoivent généralement l'oppression en termes économiques, et comme étant pratiquée surtout par les anglophones. Ils ne peuvent s'imaginer que l'organisation même de leur société puisse pousser certains groupes à protester contre l'exclusion systématique dont ils seraient l'objet.

Or, le problème de la prochaine décennie sera de réconcilier les objectifs de tous les Québécois, quelles que soient leurs origines. Étant donné les nombreuses différences qui les divisent, les conflits sont inévitables. Quoi qu'il en soit, le résultat ne peut être qu'une société pluraliste, sans grande ressemblance avec la culture traditionnelle des Franco-Québécois. Ce sera le prix à payer pour l'imposition du monopole social et économique de la langue française au Québec. L'abandon de la culture qui assura la survivance française pendant plus de deux siècles est une chose que les auteurs de la Loi 101 n'avaient pas prévue lorsqu'ils décidèrent de s'attaquer directement au pouvoir économique de la communauté anglaise.

Notes bibliographiques

L'histoire

Il est impossible de vraiment saisir le caractère des rapports entre Anglais et Français au Québec sans connaître l'histoire économique du Canada. Nous nous sommes appuyés surtout sur des historiens qui font ressortir les liens entre la géographie, le climat, le développement du pays et le caractère des élites et de la population. Un de ceux-là est Donald Creighton qui, dans *The Empire of the St. Lawrence*, décrit le fleuve Saint-Laurent comme « *the destined pathway of North American trade* », et ajoutant, « *from the river there arose, like an exhalation, the dream of a western commercial empire* ». Selon Creighton, le fleuve Saint-Laurent, étant l'axe principal d'un immense système de communication, influence profondément le développement économique et le comportement politique.

Plusieurs historiens anglophones sont d'accord avec cette vue du Saint-Laurent, mais ils ne partagent pas nécessairement l'admiration de Creighton pour les marchands anglais du XIXᵉ siècle ou son aversion à peine voilée à l'égard de la population française. Stanley Ryerson, dans *Le capitalisme et la Confédération aux sources du conflit Canada-Québec, 1760-1873*, décrit la Confédération comme une manœuvre financière permettant la construction d'un chemin de fer vers l'ouest. Tom Naylor, dans *The History of Canadian Business, 1867-1914*, décrit avec minutie la collusion entre le pouvoir et les milieux financiers. Lord Durham, qui ne saurait être soupçonné de marxisme précoce, donna le coup d'envoi en attribuant l'état piteux du Haut-Canada, au début du XIXᵉ siècle, au *Family Compact*, le nom donné alors à cette union illégitime du pouvoir exécutif et des leaders économiques. Pierre Fournier, dans *The Quebec Establishment*, examine les relations entre le gouvernement du Québec et le milieux des affaires à une époque plus récente.

L'interaction de l'économie anglaise et de la société française, ainsi que le débat sur le régime seigneurial, est décrit par Creighton, et aussi par Fernand Ouellet dans son *Histoire économique et sociale du Québec, 1760-1850*. Mason Wade est une source importante pour l'aspect événementiel de l'histoire, tandis que Lionel Groulx l'est pour son aspect idéologique.

Trois auteurs doivent être lus sur les rapports Anglais-Français: Ramsay Cook sur la situation des deux peuples fondateurs depuis la Confédération, Richard Joy sur la polarisation des attitudes sur la langue, et Richard Jones sur les changements sociaux au Québec et leur effet sur les deux principaux groupes linguistiques. *La Société canadienne-française*, publiée sous la direction d'Yves Martin et de Marcel Rioux, fut très utile, particulièrement la section sur la structure économique et la stratification sociale avec ses articles d'Albert Faucher, Maurice Lamontagne, Jacques Brazeau, Jacques Dofny, Guy Rocher et Marcel Rioux.

Donald Creighton, *The Empire of the St. Lawrence*, Macmillan, Toronto, 1956.

Stanley Ryerson, *Le capitalisme et la confédération aux sources du conflit Canada-Québec, 1760-1873*, traduit de l'anglais par André d'Allemagne, Parti Pris, Montréal, 1972. (Titre original: Unequal Union.)

Tom Naylor, *The History of Canadian Business 1867-1914*, James Lorimer, Toronto, 1975.

Tom Naylor, « The Rise and Fall of the Third Commercial Empire of the St. Lawrence in Canada », in *Canada, A Sociological Profile*, W. E. Mann and Les Wheatcroft (editors), Copp Clark, Toronto, 1976.

Lord Durham, *Le Rapport Durham*, traduit par Denis Bertrand et Albert Desbiens, Les Éditions Sainte-Marie, Montréal, 1969.

Pierre Fournier, *The Quebec Establishment*, Black Rose Books, Montréal, 1976.

Lionel Groulx, *Histoire du Canada Français depuis la découverte*, Fides, Montréal, 1960.

Thomas Chapais, *Cours d'histoire du Canada*, J. P. Garneau, Québec, 1919-1934.

Michel Brunet, *Canadians et Canadiens*, Fides, Montréal, 1954.

Michel Brunet, *La Présence anglaise et les Canadiens*, Beauchemin, Montréal, 1958.

Michel Brunet, « The British Conquest and the Canadians », *Canadian Historical Review*, XL, 2, June 1959.

Mason Wade, *Les Canadiens français de 1760 à nos jours*, traduit de l'anglais par A. Venne, Le Cercle du Livre de France, Ottawa, 1963. (Titre original: The French Canadians.)

Fernand Ouellet, *Histoire économique et sociale du Québec, 1760-1850*, Fides, Montréal, 1966.

Fernand Ouellet, « Les fondements historiques de l'option séparatiste dans le Québec », *Canadian Historical Review*, XLIII, 3 sept. 1962.

Fernand Ouellet, *Papineau, textes choisis*, Les Presses de l'Université Laval, Québec, 1970.

Jean Hamelin, *Économie et Société en Nouvelle-France*, Les Presses de l'Université Laval, Québec, 1960.

Ramsay Cook, *Le Sphinx parle français; un Canadien anglais s'interroge sur le problème québécois*, traduit de l'anglais par François Rinfret, Éditions HMH, Montréal, 1966. (Titre original: Canada and the French-Canadian Question.)

Richard Joy, *Languages in Conflict*, McClelland and Stewart, Toronto, 1972.

Richard Joy, *Les minorités des langues officielles au Canada*, l'Institut de recherches C. D. Howe, Montréal, 1978.

Richard Jones, *Community in Crisis*, McClelland and Stewart, Toronto, 1972.

Marcel Rioux et Yves Martin, *La société canadienne-française*, Hurtubise HMH, Montréal, 1971.

Le conflit linguistique

Les chapitres traitant du conflit linguistique se sont principalement inspirés des travaux de l'Américain Joshua Fishman en socio-linguistique sur la relation existant entre langue, nationalisme et modernisation. Fishman s'est intéressé à des sociétés où l'usage de certaines langues s'impose en des domaines particuliers. Au Québec, ce fut l'anglais dans les affaires et le français dans les activités politiques et culturelles. Ce système offre une certaine stabilité, remarque Fishman, aussi longtemps que le statut et le pouvoir des groupes en question demeurent les mêmes. Cependant, les conflit linguistiques apparaissent dès que l'industrialisation, la démocratisation et la modernisation modifient les rapports entre les groupes.

Des données sur l'usage de la langue et sur les vocations collectives sont disponibles dans de nombreuses études, à commencer par celles qui furent commandées par la Commission d'enquête fédérale sur le bilinguisme et le biculturalisme. *Le Monde du travail*, Livre III, publié en 1969, contient une documentation abondante sur le milieu des affaires à Montréal et sur la Fonction publique fédérale. Au Québec, la Commission Gendron dans son volume *La Langue de travail*, publié en 1972, est une autre source de documentation importante. Les changements dans le climat social au Québec, ainsi que dans les comportements et dans les attitudes, se reflètent dans l'étude de Dominique Clift, *Language Use among the Working Population of Montreal*, publiée par *The Montreal Star* en 1976. Hubert Guindon et Jacques Brazeau sont deux sociologues qui ont traité de la dynamique des changements sociaux se rapportant à la langue.

La communauté anglaise a opposé une vive résistance à toute modification du domaine économique qui lui était historiquement attribué. Pierre Beaulieu a analysé sa réaction aux propositions en vue de réorganiser le système scolaire de l'île de Montréal. Connors, Ménard et

Singh ont analysé les résultats des programmes d'immersion française dans les écoles anglaises du point de vue de la facilité à s'exprimer. Cziko, Lambert, Sidoti et Tucker ont examiné les attitudes des diplômés de classes d'immersion et celles de leurs parents. On constate que les attitudes à l'égard de la communauté francophone influent sur l'apprentissage de la langue seconde. Signalons aussi les recherches effectuées par un groupe de socio-psychologues, la plupart à l'Université McGill, et qui comprennent Wallace Lambert, R. C. Gardner, G. R. Tucker et Alison d'Anglejan.

Trois ouvrages historiques sont à signaler: *The Law of Languages in Canada* de Claude-Armand Sheppard, *Le Choc des langues, 1760-1960* de Guy Bouthillier et de Jean Meynaud, et *La Législation récente en matière linguistique dans les provinces d'Ontario, du Manitoba et du Nouveau-Brunswick*, d'André Dufour.

Joshua Fishman, *The Sociology of Language*, Newbury House, Rawley, Mass., 1972.

Joshua Fishman, « Domains and the Relationship between Mico- and Macro-sociolinguistics », in J. J. Gumperz and D. Hymes (editors), *Directions in Sociolinguistics: The Ethnography of Communication*, Holt, Rinehart and Winston, New York, 1972.

Joshua Fishman, « Sociolinguistics and the Language Problems of Developing Countries », in Joshua Fishman (editor), *Language Problems of Developing Nations*, John Wiley, New York, 1968.

Stanley Lieberson, « A Societal Theory of Race and Ethnic Relations », *American Sociological Review*, 1961, Vol. 26.

Rapport de la Commission royale d'enquête sur le bilinguisme et le biculturalisme, Livre III, *Le Monde du travail*, Gouvernement du Canada, Ottawa, 1969.

Rapport de la Commission d'enquête sur la situation de la langue française et sur les droits linguistiques au Québec, Livre I, *La langue de travail*, l'Éditeur officiel du Québec, 1972.

Dominique Clift, Language Use Among Montreal's Working Population, The Montreal Star, March 27-April 2, 1976.

Hubert Guindon, « Modernization of Quebec and the Legitimacy of the Canadian State », in Danial Glenday, Allan Turowetz, Hubert Guindon (editors), Modernization and the Canadian State, Macmillan, Toronto, 1978.

Jacques Brazeau, « Les Incidences psycho-sociologiques de la langue de travail sur l'individu », dans Jacques Brazeau et al, Le Français langue de travail, Presses de l'université Laval, Québec, 1971.

Everett C. Hughes, Rencontre des deux mondes, Les éditions du boréal express, Montréal, 1972 (Titre original: French-Canada in Transition).

Christopher Beattie, Minority Men in a Majority Setting, McClelland and Stewart, Toronto, 1975.

Stanley Lieberson, Language and Ethnic Relations in Canada, John Wiley, New York, 1970.

John Jackson, « The Function of Language in Canada », in W. H. Coons, Donald M. Taylor and Marc-Adélard Tremblay (editors), The Individual, Language and Society, Canada Council Ottawa, 1978.

Pierre Beaulieu, L'opinion des organismes montréalais face aux projets de loi 62 et 28, Analyse de leur discours idéologique, Conseil scolaire de l'île de Montréal, 1975.

J. P. Proulx, La Communauté montréalaise et la restructuration scolaire, Conseil scolaire de l'île de Montréal, Montréal, 1975.

Kathleen Connors, N. Ménard and R. Singh, « Testing Linguistic and Functional Competence in Immersion Programs », in Michel Paradis (editor), Aspects of Bilingualism, Hornbeam Press, Columbia, South Carolina, 1978.

Gary Cziko, Wallace E. Lambert, Nelly Sidoti and Richard Tucker, Graduates of Early Immersion: Retrospective Views of Grade II Students and Their Parents, McGill University, Montreal, 1978.

W. E. Lambert et al, « A Study of the Roles of Attitudes and Motivation in Second Language Learning », in J. A. Fishman (editor) Readings in the Sociology of Language, Mouton, The Hague, 1968.

W. E. Lambert, « A Social Psychology of Bilingualism », *Journal of Social Issues*, April 1967.

R. C. Gardner and W. E. Lambert, « Motivational Variables in Second Language Acquisition », *Canadian Journal of Psychology*, 1959.

W. E. Lambert, R. C. Gardner, H. C. Barik and K. Tunstall, « Attitudinal and Cognitive Aspects of Intensive Study of a Second Language », *Journal of Abnormal and Social Psychology*, 1963.

R. G. Tucker and H. Gadalof, « Bilinguals as Linguistic Mediators », in Richard Tucker (editor), *Readings in Introductory Psycho-linguistics*, Simon and Schuster, New York, 1973.

Claude-Armand Sheppard, *The Law of Languages in Canada*, Studies of the Royal Commission on Bilingualism and Biculturalism, No. 10, Government of Canada, 1971.

Guy Bouthillier et Jean Meynaud, *Le Choc des langues au Québec, 1760-1960*, Les Presses de l'Université du Québec, Montréal, 1972.

André Dufour, *La Législation récente en matière linguistique dans les provinces d'Ontario, du Manitoba et du Nouveau-Brunswick*, Étude E2, Rapport pour la Commission d'enquête sur la situation de la langue française et sur les droits linguistiques au Québec, l'Éditeur officiel du Québec, 1973.

Les droits individuels et les droits collectifs

Le domaine des droits individuels et collectifs en est un où il est pratiquement impossible d'éviter la controverse. C'est un sujet particulièrement difficile à cerner. Dans l'analyse de l'attachement de la communauté anglaise pour le concept des droits individuels nous nous en sommes remis à deux traditions philosophiques: le libéralisme classique et le protestantisme. Parmi les auteurs qui ont contribué à répandre le libéralisme, mentionnons Adam Smith, Jeremy Bentham, James Mill. Max Weber et R. H. Tawney sont des sources indispensables quant au protestantisme.

Ces deux courants d'idées ont considérablement évolué devant la nécessité du contrôle social et devant l'existence de buts collectifs. Cependant, la pensée de la communauté anglaise de Montréal est restée profondément attachée aux courants du XIXᵉ siècle. Ses élites étant presque entièrement identifiées à l'économie, elles étaient naturellement portées vers le conservatisme philosophique.

Par contre, la notion de droits collectifs a joué un grand rôle dans la pensée française, comme le *moi commun* et la *volonté générale* de Jean-Jacques Rousseau, et la *solidarité sociale* d'Émile Durkheim un siècle plus tard.

Au XXᵉ siècle, les pays anglo-saxons surent reconnaître l'existence de certains droits collectifs, comme le syndicalisme ou encore celui de l'accès à l'éducation. L'individualisme agressif perdit beaucoup de sa pertinence. Ces droits sociaux, comme on les nommait, n'avaient que peu de rapport avec les droits collectifs tels qu'on les comprend au Québec. Ils ne se rapportaient pas à l'ethnicité. Ils eurent cependant une influence considérable sur la matière dont on aborda cette question plus tard. *Citizenship and Social Class* de T. H. Marshall traite de cette question.

Les droits collectifs assumèrent une importance considérable après la Première Guerre mondiale alors que de nombreuses minorités nationales, créées par les réajustements de frontières, demandèrent la protection de la Ligue des Nations. Hannah Arendt examine ce problème dans *The Origins of Totalitarianism*, dans la section se rapportant à l'impéralisme. Par la suite, les droits collectifs furent identifiés à l'appartenance ethnique alors que les groupes minoritaires se mirent à exiger toute une gamme de services des États auxquels ils appartenaient. La Seconde Guerre mondiale détourna l'attention de ces problèmes, mais la contestation des années 60 aux États-Unis raviva l'intérêt. *Social Justice and Preferential Treatment* de W. T. Blackstone et de R. D. Heslep, et *Affir-*

mative Discrimination and Public Policy de Nathan Glazer, sont deux ouvrages importants sur l'acceptation des droits collectifs aux États-Unis.

On peut trouver une documentation relative à la situation au Québec dans les études commandées par la Commission Gendron sur les différents concepts de droits linguistiques en Europe et sur la possibilité de les appliquer ici. *Three Scales of Inequality* de R. N. Morris et de C. M. Lanphier, sur les droits individuels, collectifs et culturels, s'applique au contexte canadien et aux relations entre Anglais et Français.

Henry K. Girvetz, *The Evolution of Liberalism*, Collier-Macmillan, Toronto, 1969.

Adam Smith, *Recherches sur la nature et les causes de la richesse des nations*, Gallimard, Paris, 1976.

Max Weber, *L'éthique protestante et l'esprit du capitalisme*, Plon, Paris, 1967.

Richard Henry Tawney, *La Religion et l'essor du capitalisme*, traduit de l'anglais par Odette Merlat, Librairie Marcel Rivière, Paris, 1951. (Titre original: Religion and the Rise of Capitalism.)

Philippe Besnard, *Protestantisme et capitalisme; la controverse post-weberienne*, Colin, Paris, 1970.

Jean-Jacques Rousseau, *Du contrat social ou principes du droit politique*, Garnier Frères, Paris, 1954.

C. E. Vaughan, *The Political Writings of Jean-Jacques Rousseau*, Wiley, New York, 1962.

Émile Durkheim, *De la division du travail social*, Presses universitaires de France, Paris, 1960.

T. H. Marshall, *Citizenship and Social Class*, Cambridge University Press, Cambridge, England, 1950.

Charles W. Eliot, *The Conflict Between Individualism and Collectivism in a Democracy*, Books for Libraries Press, Freeport, N.Y., 1967.

Hannah Arendt, *The Origins of Totalitarianism*, Harcourt Brace and World, New York, 1973.

Nathan Glazer, *Affirmative Discrimination and Public Policy*, Basic Books, New York, 1975.

William T. Blackstone and Robert D. Heslep (editors), *Social Justice and Preferential Treatment: Women and Racial Minorities in Education and Business*, University of Georgia Press, Athens, Georgia, 1977.

Claude-Armand Sheppard, *Inventaire critique des droits linguistiques au Québec*, étude pour le compte de la Commission d'enquête sur la situation de la langue française et sur les droits linguistiques au Québec, l'Éditeur officiel du Québec, 1973.

Jean-Louis Baudouin et Claude Masse, *Étude comparative et évolutive des droits linguistiques en Belgique et en Suisse*, pour le compte de la Commission d'enquête sur la situation de la langue française et sur les droits linguistiques au Québec, l'Éditeur officiel du Québec, 1973.

Gerhard Leibholz, *The Protection of Racial and Linguistic Minorities in Europe during the Nineteenth and Twentieth Centuries*, monographie inédite, pour le compte de la Commission d'enquête sur la situation de la langue française et sur les droits linguistiques au Québec, Gouvernement du Québec, 1971

W. J. Ganshof Van der Meersh, *Rapport sur les principes juridiques, idéologiques et historiques relatifs aux droits linguistiques et culturels des minorités linguistiques*, monographie inédite, pour le compte de la Commission d'enquête sur la situation de la langue française et des droits linguistiques au Québec, Gouvernement du Québec, 1971.

François Chevrette, *Légalité du nombre et légalité du temps, Essai d'analyse des notions de droits des minorités, droits collectifs, droits coutumiers et droits acquis en droit Québécois*, monographie inédite pour le compte de la Commission d'enquête sur la situation de la langue française et sur les droits linguistiques au Québec, Gouvernement du Québec, 1971.

John Porter, « Ethnic Pluralism in Canadian Perspective », in *Sociology Canada*, Christopher Beattie and Stewart Crysdale (editors), Butterworth, Toronto, 1977.

Raymond N. Morris and C. Michael Lanphier, *Three Scales of Inequality: Perspectives on English-French Relations*, Longman Canada, Toronto, 1977.

L'ethnicité

Ce néologisme, l'ethnicité, décrit l'importance croissante du concept de l'ethnie. Selon deux penseurs américains, Nathan Glazer et Daniel Moynihan, l'ethnicité est devenue « une nouvelle catégorie sociale aussi importante pour la compréhension de la société contemporaine que l'est la classe sociale ». Mais ce n'était pas encore le cas il y a une quinzaine d'années. Au Canada, aux États-Unis, en Europe et presque partout dans le monde, les minorités constituaient des groupes marginaux dont l'assimilation était considérée naturelle et souhaitable.

Aujourd'hui, les minorités ethniques résistent à l'assimilation. En plus de vouloir conserver leur identité, elles revendiquent une part du pouvoir détenu par les groupes majoritaires. Les chapitres traitant du rôle futur des minorités au Québec et des attitudes de la majorité française à leur endroit, se fondent en partie sur les travaux de Glazer et de Moynihan.

Les écrits sociologiques américains sont des sources extrêmement importantes pour l'étude des relations entre groupes. L'évolution de Milton Gordon est typique de celle de ses compatriotes. En 1964, il publia *Assimilation in American Life*, illustrant l'opinion générale que l'assimilation était souhaitable pour les minorités. Mais un article publié en 1975, « Towards a General Theory of Racial and Ethnic Group Relations », reflétait l'évolution vers le pluralisme. D'autres ont étudié l'influence croissante des groupes ethniques: Michael Novak dans *The Rise of the Unmeltable Ethnics*, Peter Schrag qui s'est intéressé au déclin de la culture Anglo-protestante, et Glazer et Moynihan qui écrivirent *Beyond the Melting Pot* après avoir étudié les Noirs, les Portoricains, les Juifs et les Italiens de la ville de New York. Notons aussi les travaux de S. N. Eisenstadt sur l'intégration des immigrants en Israël et dans d'autres pays non occidentaux.

257

Trois autres auteurs importants sont Pierre L. van den Berghe, H. M. Blalock et R. A. Schermerhorn.

Les études ethniques au Canada sont proportionnellement beaucoup moins nombreuses, et il n'existe pas de traité général sur la question. Ceci reflète, jusqu'à un certain point, les hésitations des Canadiens à examiner et à critiquer leur société. Cinq sociologues intéressés à la stratification ethnique et au pluralisme sont Raymond Breton, Anthony Richmond, David R. Hughes, Evelyn Kallen et, évidemment, John Porter, l'auteur de *The Vertical Mosaic*. Cet ouvrage qui date d'une quinzaine d'années est sûrement le plus détaillé, mais son orientation est maintenant dépassée. « Ethnic Pluralism in Canadian Perspective » est un article plus récent de Porter.

Le Québec français a manifesté encore moins d'intérêt que le Canada pour les relations entre groupes ethniques, probablement à cause de son peu d'ouverture aux étrangers et aux influences extérieures. Mais la Loi 101 a forcé le Québec à s'ouvrir et à examiner la question du pluralisme. Quatre ouvrages laissent entrevoir les problèmes pouvant surgir à l'avenir entre la population française et les différents groupes ethniques: *Conflit entre les Néo-Canadiens et les francophones de Montréal* de Paul Cappon, *The Italians of Montreal* de Jeremy Boissevain, *Les Haïtiens au Québec* de Paul Dejean et *Le processus des choix linguistiques au Québec* de René Didier.

Deux articles intéressants sur les attitudes de la communauté juive de Montréal sont ceux de Michael Yarovsky et de Irwin Cotler. Mentionnons aussi *Les Groupes ethniques* de la Commission Gendron qui constitue une source de renseignements utiles sur les minorités ethniques du Québec.

Nathan Glazer and Daniel P. Moynihan (editors), *Ethnicity: Theory and Experience*, Harvard University Press, Cambridge, Mass., 1975.

Nathan Glazer and Daniel P. Moynihan, *Beyond the Melting Pot*, Harvard University Press, Cambridge, Mass., 1963.

Milton M. Gordon, *Assimilation in American Life,* Oxford University Press, New York, 1964.

Milton M. Gordon, « Toward a General Theory of Racial and Ethnic Group Relations », in Nathan Glazer and Daniel Moynihan (editors), *Ethnicity: Theory and Experience* Harvard University Press, Cambridge, Mass., 1975.

Michael Novak, *The Rise of the Unmeltable Ethnics,* Macmillan, New York, 1971.

Peter Schrag, *The Decline of the WASP,* Simon and Schuster, New York, 1971.

Shmuel Noah Eisenstadt, *The Absorption of Immigrants,* Greenwood Press, Westport, Conn., 1975.

Pierre L. van den Berghe, *Race and Racism: A Comparative Perspective,* John Wiley, New York, 1967.

H. M. Blalock, Jr., *Toward a Theory of Minority-Group Relations,* John Wiley, New York, 1967.

R. A. Schermerhorn, *Comparative Ethnic Relations,* Random House, New York, 1970.

Raymond Breton, « Institutional Completeness of Ethnic Communities and the Personal Relations of Immigrants », in B. R. Blishen et al (editors), *Canadian Society: Sociological Perspectives,* Macmillan, Toronto, 1971.

Anthony Richmond, « Immigration and Pluralism in Canada », in W. E. Mann (editor), *Social and Cultural Change in Canada,* Vol I, Copp Clark, Toronto, 1970.

Anthony Richmond, « Social Mobility of Immigrants in Canada », in B. R. Blishen et al (editors), *Canadian Society,* Macmillan, Toronto, 1971.

David R. Hughes and Evelyn Kallen, *The Anatomy of Racism: Canadian Dimensions,* Harvest House, Montréal, 1974.

M. Kelner, « Ethnic Penetration into Toronto's Elite Structure », in *Canadian Review of Sociology and Anthropology,* 1970.

Frank G. Valles, Mildred Schwartz and Frank Darknell, « Ethnic Assimilation and Differentiation in Canada », in B. R. Blishen et al (editors), *Canadian Society,* Macmillan, Toronto, 1971.

Howard Roseborough and Raymond Breton, « Perceptions of the Relative Economic and Political Advantages of Ethnic Groups in Canada », in B. R. Blishen et al (editors), *Canadian Society,* Macmillan, Toronto, 1971.

Raymond Breton and Howard Roseborough, « Ethnic Differences in Status », in B. R. Blishen et al (editors), *Canadian Society*, Macmillan, Toronto, 1971.

John Porter, *The Vertical Mosaic*, University of Toronto Press, Toronto, 1965.

John Porter, « Ethnic Pluralism in Canadian Perspective » in Christopher Beattie and Stewart Crysdale (editors), *Sociology Canada*, Butterworth, Toronto, 1977.

Paul Cappon, *Conflit entre les Néo-Canadiens et les francophones de Montréal*, Les Presses de l'université Laval, Québec, 1974.

Jeremy Boissevain, *The Italians of Montreal*, The Royal Commission on Bilingualism and Biculturalism, Government of Canada, 1971.

Paul Dejean, *Les Haïtiens au Québec*, Les Presses de l'université du Québec, Montréal, 1978.

René Didier, *Le Processus des choix linguistiques des immigrants au Québec*, Étude E6, pour la Commission d'enquête sur la situation de la langue française et sur les droits linguistiques au Québec, l'Éditeur officiel du Québec, 1973.

Ruth R. Wisse and Irwin Cotler, « Quebec's Jews Caught in the Middle », in *Commentary*, Vol 64, no 3, September 1977.

Irwin Cotler, First Encounters: le fait français et le fait juif, *Report magazine*, Montréal, July/August 1978.

Michael Yarosky, « La communauté juive dans la société québécoise », traduit par Clément Trudel, *Le Devoir*, 20 juillet 1979.

Commission d'enquête sur la situation de la langue française et sur les droits linguistiques au Québec, *Les groupes ethniques*, Livre III, l'Éditeur officiel du Québec, 1972.

Chronologie

1759   Bataille des plaines d'Abraham.

1763   La Proclamation royale lance une politique d'assimilation en abrogeant les droits français et en réduisant l'étendue de l'ancienne colonie française.

1774   L'Acte de Québec pare à la menace révolutionnaire américaine en rétablissant les droits du français et en restituant le territoire du Canada.

1776   La Révolution américaine éclate.

1791   L'Acte constitutionnel divise le Canada en deux parties, crée des assemblées représentatives, mais refuse l'établissement du gouvernement responsable. L'Acte inaugure une période de tension entre le pouvoir exécutif et le pouvoir législatif.

1837   Insurrections armées dans le Haut et le Bas-Canada qui reprennent l'année suivante.

1839   Publication du rapport de Lord Durham qui recommande l'union législative des deux Canadas, la création d'un gouvernement responsable, l'abrogation des droits du français et la reprise des politiques d'assimilation.

1840   L'Acte d'Union applique les principales recommandations de Lord Durham.

1848   Devant la menace américaine, l'Acte d'Union est amendé pour rétablir l'usage du français dans les cours de justice et au Parlement. Le principe de la « double majorité », anglaise et française, avec l'avènement du ministère Baldwin-Lafontaine.

1867   L'Acte de l'Amérique britannique du Nord crée le Canada moderne. L'usage du français est reconnu dans les institutions politiques et judiciaires au niveau fédéral et au Québec, où l'usage de l'anglais est également reconnu.

1870   Soulèvement des Métis au Manitoba.

1870   L'Acte du Manitoba, créant cette province, reconnaît l'anglais et le français comme langues officielles.

1875   L'Acte des Territoires du Nord-Ouest, s'appliquant aux futures provinces de Saskatchewan et d'Alberta, reconnaît l'anglais et le français comme langues officielles dans l'Assemblée.

1890   Le Manitoba abroge l'usage officiel du français.

1892   Abolition de l'usage du français dans l'Assemblée des Territoires du Nord-Ouest.

1910   Le Parlement du Québec légifère pour que les sociétés d'utilité publique servent leur clientèle dans les deux langues officielles.

1912   L'Ontario applique le Règlement XVII qui décrète que l'anglais est la seule langue d'enseignement dans les écoles publiques, éliminant l'enseignement en français.

1927   Premiers timbres bilingues.

1936   Introduction de la monnaie bilingue.

1958   Introduction de l'interprétation simultanée à la Chambre des Communes.

1962   Le gouvernement fédéral commence à émettre des chèques bilingues.

1963   Création de la Commission d'enquête sur le bilinguisme et le biculturalisme dont la mission est de faire des recommandations en vue d'un meilleur équilibre entre Anglais et Français au Canada.

1967 Publication du rapport de la Commission qui propose, entre autres choses, l'usage accru du français dans la Fonction publique fédérale.

1968 Émeutes à Saint-Léonard, en banlieue de Montréal, alors que la Commission scolaire catholique locale élimine l'anglais comme langue d'enseignement.

1968 Création de la Commission provinciale d'enquête sur la situation de la langue française et sur les droits linguistiques au Québec.

1968 L'Ontario rétablit l'enseignement du français lorsque le nombre d'élèves le justifie.

1969 En réponse à la situation créée à Saint-Léonard, le gouvernement du Québec établit le principe de la liberté de choix de la langue d'enseignement.

1969 Adoption de la Loi fédérale des langues officielles, en vertu de laquelle tous les services fédéraux à Ottawa et dans certains districts désignés bilingues sont disponibles dans les deux langues officielles.

1969 Le Nouveau-Brunswick reconnaît le caractère officiel de l'anglais et du français à la législature, dans l'administration publique, dans l'éducation et, si possible, devant les tribunaux.

1970 Le Manitoba rétablit le droit à l'éducation en français.

1972 Rapport de la Commission provinciale d'enquête sur la situation de la langue française qui propose la persuasion d'abord pour franciser le milieu de travail, et la coercition si aucun progrès n'est réalisé dans un délai raisonnable.

1974 Le gouvernement Bourassa fait adopter la Loi 22 limitant l'accès à l'école anglaise à ceux qui parlent déjà cette langue, et prévoyant des programmes de francisation pour les entreprises faisant affaire avec le gouvernement.

1976 Élection du Parti québécois.

1977 L'Assemblée nationale adopte la Loi 101 limitant sévèrement l'accès à l'école anglaise, imposant des programmes de francisation à l'entreprise, prohibant l'affichage anglais dans les endroits publics, et décrétant que le français est dorénavant la seule langue officielle des tribunaux sous juridiction provinciale et de l'Assemblée nationale.

Tableaux démographiques

Les quatorze tableaux suivants sont destinés à fournir une information statistique sur les communautés anglaise et française du Québec. Les six premiers décrivent la population en termes de langue maternelle, de langue d'usage et d'origine ethnique, et ils s'appliquent à toute la province ainsi qu'à l'île de Montréal. Les huit derniers tableaux portent sur le marché du travail. Ils décrivent les différences entre francophones et non-francophones du point de vue du bilinguisme, de l'éducation, du statut professionnel et du revenu. Ils proviennent d'une étude commanditée par l'Office de la langue française, en 1979, et intitulée « L'évolution de la situation socio-économique des francophones et des non-francophones au Québec (1971-1978). »

Durant cette période de sept ans, on peut constater, selon les tableaux 8 et 9, que le marché du travail anglais a décrû alors que le marché français a crû. Néanmoins, la langue anglaise elle-même conserve sa force à cause du choix des groupes ethniques qui la préfèrent au français.

Le tableau 10 indique que dans le domaine de l'éducation l'écart entre francophones et non-francophones se comble peu à peu, les gains étant plus considérables chez les femmes que chez les hommes. Cependant, au niveau universitaire, l'écart demeure encore très grand. De 15,4 pour cent qu'il était en 1971, il s'est abaissé à 12,8 en 1978 pour les hommes. Dans le même laps de temps il s'est élevé de 8,8 à 13,3 pour cent, dans le cas des femmes.

Par ailleurs, le statut professionnel et socio-économique des francophones s'est amélioré par rapport aux non-francophones entre 1971 et 1978. C'est ce que démontrent les tableaux 11 et 12. L'écart, qui était de 17 pour cent en 1971, était tombé à 14 pour cent sept ans plus tard. Toutefois, les disparités demeurent sensiblement les mêmes dans les occupations de direction et d'administration, et dans celles se rapportant aux sciences naturelles, au génie et aux mathématiques. Il faut noter que s'il y a eu progrès, il fut réalisé par les femmes.

Quant au revenu, les francophones, et particulièrement les hommes, ont vu les leurs augmenter plus rapidement que ceux des non-francophones entre 1971 et 1978. Mais l'écart reste important. Pour les hommes, il est passé de 28,1 à 19,9 pour cent au cours de cette période. La situation des femmes est demeurée sensiblement la même, autour de 12 pour cent.

TABLEAU 1

Composition de la population du Québec selon l'origine ethnique et la langue maternelle, recensement des années 1851 à 1976

Année	Origine ethnique		
	Français	*Britannique*	*Autre*
1851	669 887 (75,2)[1]	215 034	5 340
1871	929 817 (78,0)	243 041	18 658
1901	1 322 115 (80,2)	290 169	36 614
1931	2 270 059 (79,0)	432 726	171 470
1951	3 327 128 (82,0)	491 818	236 735
1971	4 759 360 (79,0)	640 045	628 360

Année	Langue maternelle		
	Français	*Anglais*	*Autre*
1931	2 292 193 (79,7)	429 613	152 449
1941	2 717 287 (81,6)	468 996	145 599
1951	3 347 030 (82,5)	558 256	150 395
1961	4 269 689 (81,2)	697 402	292 120
1971	4 867 250 (80,7)	789 185	371 330
1976	5 060 000 (81,2)	797 000	378 000

Année	Langue parlée à la maison		
	Français	*Anglais*	*Autre*
1971	4 870 100 (80,8)	887 875	269 790

1. Pourcentage.
Source: Recensement du Canada, années citées.

TABLEAU 2

Composition de la population non française du Québec, 1871 et 1971

Origine ethnique	1871		1971	
	Nombre	% de la population	Nombre	% de la population
Anglais	69 822	5,9	389 790	6,5
Écossais	49 458	4,2	108 085	1,8
Irlandais	123 478	10,3	139 100	2,3
Italien	n/d	—	169 655	2,8
Juif	549	—	115 990	1,9
Autres	18 109	1,6	342 725	5,7

Sources: Gouvernement du Canada, *Recensement du Canada 1871*, Vol. 1, ministère de l'Agriculture, Ottawa, 1873, tableau III; — Statistique Canada, Recensement du Canada 1971, *Population: groupes ethniques par groupe d'âge*, n° de catalogue 92-731, bulletin 1.4-3, Information Canada, Ottawa, 1974, tableau 5.

Voir Richard Joy, *Les minorités des langues officielles au Canada*, l'Institut de recherches C. D. Howe, Montréal, 1978, p. 26-27.

TABLEAU 3

Population selon le groupe ethnique
— Québec (1971)

Population totale	6,027,765		
Iles Britanniques*	640,045	Japonais	1,745
Français	4,759,360	Juif	115,990
Allemand	53,870	Letton	1,415
Antillais	5,050	Lithuanien	3,990
Autrichien, n.m.a.**	2,500	Néerlandais	12,590
Belge	8,220	Noir	5,225
Biélorusse	195	Norvégien	3,820
Chinois	11,905	Polonais	23,970
Danois	2,630	Portugais	16,555
Esquimau	3,755	Roumain	2,320
Espagnol	10,825	Russe	4,060
Esthonien	1,440	Slovaque	2,305
Finlandais	1,865	Suédois	2,005
Grec	42,870	Syrien-Libanais	8,235
Hongrois	12,570	Tchèque	4,420
Indien de l'Asie	6,510	Ukrainien	20,325
Indo-Pakistanais	5,000	Yougoslave	6,810
Autres	1,510	Croate	1,100
Indien Nord-Américain	32,835	Serbe	335
Islandais	365	Slovène	425
Italien	169,655	Yougoslave, n.m.a.**	4,950
		Autres et inconnus	25,510

*Le groupe ethnique des Îles Britanniques comprend les Anglais, les Irlandais, les Écossais et les Gallois.
**n.m.a. — Non mentionné ailleurs.
Source: Recensement du Canada, 1971, Vol. 1 — Partie 3.

TABLEAU 4

Composition ethnique de la population de l'île de Montréal (1971)

Groupe	Nombre	Pourcentage
Français	1,155,615	59.0%
Britannique	333,405	17.0%
Italien	148,720	7.6%
Allemand	26,820	1.4%
Asiatique	32,740	1.7%
Polonais	17,340	0.9%
Ukrainien	15,585	0.8%
Hongrois	9,250	0.5%
Autres	219,705	11.2%
Total	1,959,180	100.0%

Source: Statistique Canada, catalogue 95-734 (CT-48)

TABLEAU 5

Répartition de la population de l'île de Montréal selon la langue maternelle (1971)

Français	1,198,205	61.2%
Anglais	464,775	23.7%
Autres	296,165	15.1%
Total	1,959,145*	100.0%

Source: Statistique Canada, catalogue 95-704 (CT-4A).
Ce bulletin ne distingue pas les « autres » langues maternelles.

*Les légères variations que l'on pourra constater dans les statistiques tiennent à la technique dite « d'arrondissement aléatoire ».

TABLEAU 6

*Répartition de la population de l'île de Montréal
selon la langue d'usage (1971)*

Français	1,199,230	61.2%
Anglais	537,455	27.4%
Italien	103,330	5.3%
Allemand	8,010	0.4%
Polonais	7,795	0.4%
Ukrainien	7,230	0.4%
Autre	96,130	4.9%
Total	1,959,180	100.0%

Source: Statistique Canada, catalogue 95-734 (CT-48)

TABLEAU 7

Le bilinguisme dans le marché du travail — Québec (1971)

Pourcentage des groupes linguistiques pratiquant au travail l'une ou l'autre des formules linguistiques, pour l'ensemble du Québec, dans les communications de travail

Groupes linguistiques	Formules linguistiques				
	À peu près uniquement le *français*	À peu près uniquement *l'anglais*	Les deux langues	Autres langues	TOTAL
Francophones	64% 1,165,000	3% 55,000	32% 582,000	1% 18,000	100% 1,820,000
Anglophones	5% 17,000	63% 216,000	32% 111,000	0% 	100% 344,000
Autres	14% 25,000	36% 63,000	40% 71,000	10% 18,000	100% 177,000
Nombre de travailleurs qui pratiquent chacune des formules	1,207,000	338,000	760,000	36,000	2,341,000

Source: Sondage fait par la Commission d'enquête sur la situation de la langue française et sur les droits linguistiques au Québec, *La Langue de travail*, Livre I, l'Éditeur officiel du Québec, 1972, p. 18.

TABLEAU 8

Marché du travail:
Distribution des langues maternelles.
Région métropolitaine de Montréal

Langue maternelle	pourcentages		nombres absolus	
	1971	1978	1971	1978
Français	64.3%	67.0%	582,700	649,031
Anglais	22.5%	19.6%	203,900	189,865
Autres	13.2%	13.4%	119,600	129,806
TOTAL	100 %	100 %	906,300	968,703

Source: Paul Bernard et al, *L'évolution de la situation socio-économique des francophones et des non-francophones au Québec (1971-1978)*, Office de la langue française, Gouvernement de Québec, 1979, p. 43.

TABLEAU 9

Marché du travail:
Matrices de transition linguistique.
Région métropolitaine de Montréal

1971 (Recensement)

Langue maternelle	Langue d'usage			
	Français	Anglais	Autres	TOTAL
Français	95.9%	3.9%	0.1%	100.0%
				64.3%
Anglais	5.2%	94.0%	0.8%	100.0%
				22.5%
Autres	8.6%	28.4%	63.0%	100.0%
				13.2%
TOTAL	64.0%	27.4%	8.6%	100.0%

Source: Paul Bernard et al, p. 68.

1978 (IFAQ)*

| Langue maternelle | Langue d'usage | | | TOTAL |
	Français	Anglais	Autres	
Français	96.7%	3.3%	0.0%	100.0%
				67.0%
Anglais	6.1%	93.6%	0.4%	100.0%
				19.6%
Autres	18.2%	48.4%	33.4%	100.0%
				13.4%
TOTAL	68.4%	27.0%	4.6%	100.0%

*Sondage: Inégalités entre francophones et anglophones au Québec (IFAQ)
Source: Paul Bernard et al, p. 68.

TABLEAU 10

Marché du travail:

Répartition des francophones et des non-francophones
selon le niveau de scolarité — par sexe — 1971-1978

	UFMTQ* 1971						IFAQ 1978					
	Hommes		Femmes		Total		Hommes		Femmes		Total	
Niveau de scolarité	F	NF	F	NF	F	NF	F	NF	F	NF	F	NF
0 à 7 ans	30.3	16.3	16.8	13.1	26.2	15.5	20.5	12.9	10.3	8.4	17.1	11.3
8 à 10 ans	29.8	25.2	27.4	16.0	29.1	22.4	25.1	15.9	18.6	10.3	22.9	14.1
11-12 ans												
collégial sans diplôme	25.6	30.5	38.4	47.8	29.5	35.5	35.1	41.4	45.9	46.7	38.7	43.2
collégial avec diplôme	6.0	4.3	12.1	9.1	7.9	5.7	7.5	5.3	18.1	13.9	11.1	8.1
Université	8.2	23.6	5.1	13.9	7.3	20.8	11.8	24.6	7.2	20.5	10.2	23.4
TOTAL	100%	100%	100%	100%	100%	100%	100%	100%	100%	100%	100%	100%

*Sondage fait par le Centre de sondage de l'Université de Montréal pour la Commission Gendron intitulé: L'utilisation du français dans le monde du travail du Québec (UFMTQ).
Source: Paul Bernard et al, p. 98.

chiffres des occupations de Statistique Canada — par sexe, 1971-1978.

Secteurs d'activité	UFMTQ 1971						IFAQ 1978					
	Hommes		Femmes		Total		Hommes		Femmes		Total	
	F	NF	F	NF	F	NF	F	NF	F	NF	F	NF
— Direction, administration et professions connexes.	10.0	17.4	4.3	4.5	8.2	13.6	9.2	16.6	3.4	4.1	7.3	12.5
— Sciences naturelles, génie, mathématiques.	2.3	7.1	0.7	1.2	1.8	5.3	4.0	7.3	0.3	2.6	2.8	5.8
— Sciences sociales et secteurs connexes.	1.4	1.4	2.3	1.6	1.7	1.5	1.4	1.7	1.0	1.5	1.3	1.6
— Enseignement et secteurs connexes.	3.1	3.4	9.8	11.1	5.2	5.7	3.7	3.9	10.3	10.4	5.9	6.1
— Médecine et santé.	2.4	1.8	10.7	8.0	4.9	3.6	1.9	1.7	10.2	10.2	4.7	4.5
— Arts plastiques, décoratifs, littéraires, d'interprétation et secteurs connexes.	1.5	2.4	2.1	1.6	1.7	2.2	1.7	3.5	1.1	3.0	1.5	3.3
— Travail administratif et secteurs connexes.	8.0	9.6	27.2	41.9	14.0	19.2	7.4	10.4	39.9	43.0	18.3	21.0
— Commerce.	10.0	9.9	8.2	6.4	9.4	8.9	10.7	11.1	5.6	8.9	9.0	10.4
— Services.	11.0	6.4	14.9	7.6	12.3	6.8	8.4	5.8	12.6	6.5	9.9	6.0
— Agriculture, horti-culture et élevage.	5.3	1.3	1.5	0.5	4.1	1.1	3.5	1.8	0.3	1.0	2.4	1.5
— Chasse, piégeage et activités connexes, pêche, carrières, puits de gaz et de pétrole.	3.2	0.6	0.1	0.0	2.3	0.4	2.1	0.2	0.0	0.0	1.4	0.1
— Traitement des matières premières.	8.0	5.0	3.7	1.7	6.6	4.0	5.9	3.7	1.5	0.1	4.5	2.5
— Usinage des matières premières et secteurs connexes. Fabrication, montage et réparation de produits finis.	14.9	17.0	11.9	12.0	14.0	15.5	15.9	16.8	11.5	7.3	14.4	13.6
— Construction.	7.3	5.5	0.3	0.0	5.2	3.8	12.0	7.1	0.0	0.0	8.0	4.8
— Transports.	7.1	7.6	0.4	0.2	5.0	5.4	6.6	4.1	0.2	0.0	4.5	2.8
— Autres occupations.	4.7	3.6	2.0	1.5	3.8	3.0	5.3	4.5	2.0	1.3	4.2	3.4
TOTAL	100%	100%	100%	100%	100%	100%	100%	100%	100%	100%	100%	100%

Source: Paul Bernard et al, p. 116.

TABLEAU 12

Marché du travail:

L'occupation: coefficients de dissimilarités entre francophones et non-francophones sur deux classifications, selon le sexe et l'année.

	1971			1978		
	hommes	femmes	total	hommes	femmes	total
Par type d'activité	17.8	16.9	17.2	17.0	12.5	14.7
Par strate de statut socio-économique	18.5	15.1	17.4	17.1	10.8	14.3

Source: Paul Bernard et al, p. 99

Répartition des francophones et des non-francophones
selon le niveau de revenu — par sexe — 1971-1978.

Recensement 1971

Revenu annuel avant déductions	Hommes		Femmes		Total	
	F	NF	F	NF	F	NF
Moins de $7,500	32.1	25.1	66.2	60.2	42.3	36.0
$7,500-$10,499	22.9	17.1	20.3	23.7	22.2	19.2
$10,500-$13,499	20.0	18.5	8.2	9.4	16.7	15.6
$13,500-$16,499	10.5	10.4	3.2	3.1	8.3	8.2
$16,500-$19,499	6.1	9.0	1.3	1.7	4.7	6.8
$19,500 et plus	8.2	19.7	0.8	1.9	6.1	14.2
TOTAL	100%	100%	100%	100%	100%	100%

IFAQ 1978

Revenu annuel avant déductions	Hommes		Femmes		Total	
	F	NF	F	NF	F	NF
Moins de $7,500	22.1	16.9	48.9	39.0	31.2	24.0
$7,500-$10,499	14.2	12.7	22.9	27.6	17.1	17.4
$10,500-$13,499	20.3	17.0	16.5	19.0	19.0	17.6
$13,500-$16,499	15.1	11.2	5.7	8.4	11.9	10.2
$16,500-$19,499	11.6	13.3	3.9	3.7	9.1	10.3
$19,500 et plus	16.9	28.8	2.0	2.3	11.9	20.3
TOTAL	100%	100%	100%	100%	100%	100%

Source: Paul Bernard et al, p. 126

TABLEAU 14

Marché du travail: Revenu moyen — 1971

	Hommes		Femmes		Total	
	F	NF	F	NF	F	NF
Revenu moyen	$10,883.18	$13,943.76	$6,295.50	$7,064.00	$ 9,542.54	$11,811.48

Marché du travail: Revenu moyen — 1978

	Hommes		Femmes		Total	
	F	NF	F	NF	F	NF
Revenu moyen	$13,551.70	$16,248.70	$8,307.10	$9,270.00	$11,804.00	$14,014.70

Source: Paul Bernard et al, p. 119-126.

Achevé d'imprimer
en septembre mil neuf cent soixante-dix-neuf
sur les presses de l'Imprimerie Gagné Ltée
Louiseville - Montréal.
Imprimé au Canada